Chère lectrice,

Ce mois-ci, ne ratez pas le [...]
Corretti », la saga qui nous f[...]
Dans *Scandale au palazzo* (Azur n° 3554), la talentueuse
Maisey Yates lève enfin le voile sur les secrets qui entourent
l'événement le plus scandaleux de l'année : l'annulation du
mariage qui devait unir les familles ennemies des Battaglia
et des Corretti. Et quelle meilleure raison que l'amour pour
justifier un tel scandale ? L'amour qu'Alessia Battaglia
et Matteo Corretti, le cousin de l'homme qu'elle devait
épouser, ressentent l'un pour l'autre depuis l'enfance. Un
amour qu'ils ne pourront vivre pleinement qu'après avoir
fait la paix avec le lourd héritage de leurs tumultueuses
familles.

Pour une dernière fois, laissez-vous emporter dans
l'univers envoûtant des Corretti, sur les chemins de leur
Sicile natale, terre de passion et de secrets...

Très bonne lecture !

La responsable de collection

Un si troublant mensonge

LUCY KING

Un si troublant mensonge

collection *Azur*

éditions HARLEQUIN

Collection : Azur

*Cet ouvrage a été publié en langue anglaise
sous le titre :*
THE REUNION LIE

ÉDITIONS HARLEQUIN
83-85, boulevard Vincent-Auriol, 75646 PARIS CEDEX 13.
Service Lectrices — Tél. : 01 45 82 47 47

www.harlequin.fr
ISBN 978-2-2803-0765-9 — ISSN 0993-4448

1.

Cela faisait un quart d'heure à peine que Zoe était entrée dans le bar et elle savait déjà qu'elle avait eu tort de venir. Jamais jusqu'à présent elle n'avait nourri de pensée réellement violente. Pourtant, si une de ses anciennes condisciples s'avisait encore de lui demander si elle avait un mari et des enfants, puis de hocher douloureusement la tête en entendant sa réponse négative, elle craignait de se laisser aller à frapper. Fort.

Elle avait décroché un doctorat, créé avec sa sœur une agence d'évaluations statistiques — deux millions de livres sterling de chiffre d'affaires —, mais toutes s'en moquaient. La seule chose qui comptait aux yeux de la quarantaine de femmes réunies pour célébrer le quinzième anniversaire de la fin de leurs années de lycée, c'était qu'elle était encore célibataire et sans enfant.

Zoe avala une gorgée de vin blanc ; autour d'elle les conversations allaient bon train : hausse de l'immobilier, comparaison des meilleures écoles privées et vacances en Toscane. Comment avait-elle pu s'imaginer que ses anciennes camarades auraient changé ? Même si elles avaient reçu la meilleure éducation dans leur pensionnat de jeunes filles, elles n'avaient jamais rêvé que d'épouser un aristocrate — ainsi que les propriétés et le compte en banque qui allaient avec. Et à en juger par leurs noms à rallonge, leurs titres et les diamants qu'elles arboraient, la plupart avaient brillamment réussi.

Elle poussa un soupir désespéré devant tant d'argent dépensé, de potentiel intellectuel gaspillé, d'ambitions mal canalisées. Quel gâchis ! Tout comme la soirée qui s'annonçait.

Un mois plus tôt, quand elle avait reçu l'e-mail qui la conviait à cette réunion d'anciennes lycéennes, son premier mouvement avait été de l'ignorer. Même si elle avait apprécié l'éducation qu'elle avait reçue à Sainte-Catherine, et n'ignorait pas le sacrifice qu'avaient consenti ses parents pour la lui offrir, jamais elle ne s'était sentie à l'aise avec ces filles. Elle n'avait rien en commun avec la majorité d'entre elles ; certaines — Samantha Newark en particulier — lui avaient littéralement gâché l'existence des années durant. Elle avait donc répondu qu'elle était trop occupée puis détruit le message avant de retourner à ce qu'elle savait le mieux faire : son travail. Et elle s'était replongée dans les statistiques concernant l'un des clients les plus importants de l'agence.

Hélas ! En mettant à la corbeille cette fameuse invitation, elle avait, à sa grande frustration, ouvert la boîte de Pandore dans laquelle étaient enfermées ses angoisses d'adolescente mal dans sa peau. Et, durant les deux semaines suivantes, elle avait été assaillie de douloureux souvenirs de pensionnat, malgré tous ses efforts pour les repousser. Les barrières qu'elle avait patiemment érigées pour s'en protéger s'étaient effondrées, ses vieilles blessures mal cicatrisées s'étaient rouvertes. Une fois ce processus engagé, aucune analyse statistique ne s'était révélée assez prenante pour lui faire oublier les douleurs et les chagrins qu'elle avait endurés.

Les persécutions avaient commencé de façon assez banale : des livres dont elle avait besoin disparaissaient, son courrier se perdait, les messages s'effaçaient sur son téléphone. Des rumeurs sur ses penchants homosexuels avaient circulé et, du bout du dortoir, les autres filles l'épiaient en chuchotant avec des airs de conspiratrices.

Puis il y avait eu des remarques perfides sur son physique, sur sa famille, sur les bourses dont sa sœur et elle bénéficiaient. Leurs parents ne possédaient pas de vieux château battu de courants d'air, elles ne passaient pas leurs vacances à la Barbade en été et en Suisse l'hiver, elles n'avaient jamais mis les pieds à Ascot ni à Paris.

Au début, Zoe avait serré les dents et ignoré ces sarcasmes en se disant qu'ils finiraient bien par se calmer. Mais son indifférence n'avait fait qu'exciter davantage ses condisciples, et les sévices corporels avaient commencé.

Chaque jour ou presque, pinçons et coups de pied lui laissaient des bleus sur la peau. Un après-midi, alors qu'elle était penchée sur son bureau, un petit groupe lui avait coupé la longue queue-de-cheval qu'elle portait depuis l'âge de six ans. Un soir qu'elle s'était enfin rebellée, des filles l'avaient clouée au sol et lui avaient versé de force de l'ouzo dans la gorge. Vers minuit, la surveillante l'avait découverte en train de chanter sur la pelouse, ivre, et traînée chez la conseillère d'éducation. Résultat : un mois avant l'examen final, elle avait été exclue. Heureusement, elle avait quand même décroché son diplôme…

Non, ces années-là n'avaient pas été les plus belles de sa vie, et elle n'avait eu aucune envie de s'y replonger en trinquant avec ses anciennes tourmenteuses. Pourtant, une semaine avant l'événement, sa certitude avait soudain été ébranlée : plus ses souvenirs resurgissaient, plus elle regrettait de n'avoir rien fait pour mettre fin à ces persécutions et de ne s'être confiée à personne. D'autre part, elle se demandait sans relâche la raison de ces comportements agressifs à son encontre. Du coup, peut-être tenait-elle l'occasion rêvée de connaître enfin la vérité et de laver tous ces affronts.

« Vas-y ! Montre-leur de quoi tu es capable, avait chuchoté en elle une voix ténue mais ferme. Qu'elles voient ce que tu es devenue, malgré leurs efforts pour détruire ta confiance en toi. Qu'elles sachent qu'elles n'ont pas eu le dessus ! » Elle avait bien tenté de résister, de se dire qu'elle était au-dessus de ça, qu'elle avait horreur des mondanités, mais la petite voix en elle refusait de se taire. Zoe avait fini par reconnaître qu'elle devait bien ça à l'adolescente qu'elle avait été ; si elle se dérobait, elle le regretterait toute sa vie. Elle avait donc contacté la fille qui organisait la réunion pour lui dire qu'elle avait pu se libérer.

Voilà comment elle se retrouvait en ce dernier jeudi de septembre dans ce pub pseudo-gastronomique, vêtue d'une petite robe noire, juchée sur des escarpins et prête à en découdre. Et non pas chez elle, en pyjama, son ordinateur portable sur les genoux, comme tous les soirs.

Les choses ne s'étaient pas exactement passées comme elle se l'était imaginé puisqu'elle se retrouvait en train de siroter du vin tiède en endurant des litanies de « tu te souviens quand… », avec l'impression d'être inadaptée uniquement parce qu'elle n'avait pas procréé. Si elle avait su, elle se serait abstenue.

Zoe serra les dents. Non, elle n'était pas une inadaptée. Elle n'avait pas raté sa vie, elle l'avait réussie, mieux que bien d'autres femmes de son âge. Et elle était fière de cette réussite. Elle n'était ni mariée ni mère de famille, et alors ? Elle avait un travail passionnant, des parents qui la soutenaient et l'aimaient, et une sœur adorable. Certes, même si elle n'avait rien contre une petite aventure de temps en temps, sa vie sentimentale était un désert. Mais quelle importance ? De toute façon, elle n'était pas certaine d'avoir envie de voir des enfants débouler dans sa vie pour en bouleverser le cours.

Elle n'avait donc aucune raison de se sentir inférieure aux femmes présentes ce soir, ni d'être affectée par leur opinion. Et pourtant…

La conversation roula sur l'horloge biologique et la vie déprimante des célibataires. Tous les regards se tournèrent vers elle. On insinua que ses succès professionnels étaient sans intérêt comparés au fabuleux accomplissement que représentaient un mari et des enfants. Une fois de plus, Zoe sentit se déliter sa confiance en elle ; le même désespoir qui l'étreignait quinze ans plus tôt l'envahit. Elle aurait tant voulu ce soir faire payer à ces filles le mal qu'elles lui avaient fait endurer, les impressionner par sa réussite et les rendre enfin jalouses, mais s'en révélait incapable.

Rien n'avait changé dans ses relations avec ces pestes ; elle n'arrivait toujours pas à se moquer de ce qu'elles pensaient d'elle. Ces privilégiées si sûres d'elles avaient gardé la capacité de lui faire perdre contenance d'une simple moue ou d'un haussement de sourcil. Son cœur se serra à la pensée qu'elle n'avait toujours pas digéré les brimades dévastatrices de ses années de pension. Comment y parvenir ?

Soudain, une décharge d'adrénaline l'électrisa et, sans réfléchir, elle leva les sourcils d'un air surpris et demanda d'une voix qui n'était plus vraiment la sienne :

— Célibataire ? Mais je ne le suis plus pour long-temps…

2.

S'il avait su que son pub favori, d'habitude si tranquille, serait pris d'assaut par un bataillon de furies tapageuses, Dan aurait suggéré à Pete un autre lieu de rendez-vous. Le mélange de parfums lui donnait la nausée, et le niveau sonore l'empêcherait de partager tranquillement un verre avec son ami, qu'il n'avait pas vu depuis des mois.

Pete lui ayant annoncé par texto qu'il allait être en retard, Dan avait décidé en l'attendant d'aller boire sa pinte de bière dans un coin plus calme, au fond du pub. En manches de chemise, veste sur l'épaule, il s'était dirigé vers l'autre bout de la salle, ignorant les sourires féminins engageants qu'il suscitait sur son passage. Sauf un, particulièrement éclatant, qui lui arrivait droit dessus. Une impression séduisante mais fugitive de blondeur, des yeux sombres… Avant qu'il ait eu le temps de dire « Pardon » pour continuer sa route, la jeune femme l'avait pris par le cou, plaqué contre elle et embrassé à pleine bouche.

Stupéfait, Dan faillit en lâcher sa bière. Sa chair avait parfaitement perçu la douceur, la souplesse et la tiédeur du corps qui l'enlaçait. La main qui lui pressait la nuque lui paraissait brûlante, et la bouche posée sur la sienne, suave et passionnée, mettait ses sens en émoi. Dans un élan instinctif, il faillit attirer la fille à lui quand, à la périphérie de son champ de vision, il perçut un éclair qui lui remit immédiatement les idées en place. Le feu qui lui brûlait les veines s'éteignit ; son désir retomba plus vite encore qu'il était né.

Il avait immédiatement compris ce qu'impliquait ce flash. Quel imbécile il faisait ! Comme si tous les détails de sa dernière liaison ne s'étaient pas étalés en première page du pire tabloïd du pays ! Le sang glacé par sa propre inconscience, mais soulagé d'avoir évité le piège, Dan repoussa la femme agrippée à lui et s'écarta. Puis il la toisa longuement de la tête aux pieds. Vêtue d'une courte robe noire décolletée et chaussée d'escarpins, elle avait la silhouette la plus sexy qu'il ait jamais vue. Soudain, il eut la vision de leurs deux corps enlacés sur un lit et crut sentir le contact de sa chevelure soyeuse contre son torse nu.

Il chassa ces pensées déplacées d'un froncement de sourcils et fixa l'inconnue droit dans les yeux, lui offrant son regard le plus intense — celui qui était censé fasciner la terre entière…

— Qui êtes-vous ? s'écria-t-il. Et que diable avez-vous en tête ?

« Excellente question », songea Zoe en observant l'homme qu'elle venait d'embrasser, dont elle sentait encore sur son corps la tiède empreinte. Et, pour être franche avec elle-même, elle ne savait plus trop en cet instant ni qui elle était ni ce qu'elle avait en tête. Ce qui lui paraissait totalement incongru alors que jusqu'ici la logique, la raison et la réflexion avaient entièrement gouverné sa vie.

Au départ, elle avait seulement voulu prendre sa revanche sur ses anciennes condisciples en s'inventant un fiancé ; dont elle n'avait cessé d'enjoliver le portrait, jusqu'à en faire un être si chimérique que n'importe qui aurait eu du mal à y croire. Et puis soudain, sans doute sous l'effet de l'alcool… Non, mieux valait ne pas se mentir. D'une part, elle avait très peu bu et, surtout, la vérité était ailleurs. En effet, à l'instant même où elle avait commencé à fabuler sur son fiancé fictif, l'intérêt des filles s'était immédiatement recentré sur elle. Elle avait alors été envahie par une délicieuse impression de triomphe et de soulagement à l'idée qu'en définitive les choses n'avaient pas si mal marché pour elle non plus.

Elle avait été assaillie de questions concernant la merveille des merveilles qu'elle avait décrite à son auditoire — un homme bien entendu viril, superbe, drôle, attentionné et intelligent. Les soupirs d'admiration et d'envie qu'avait suscités chacune de ses réponses l'avaient tellement grisée, elle s'était sentie, pour la première fois, si bien intégrée qu'elle n'avait pas réussi à maîtriser ses propres mensonges. Sans se soucier du piège où elle était en train de tomber, Zoe avait calqué son histoire sur la romance passionnée qu'avait vécue sa sœur avec son ex-mari — une histoire qui s'était hélas terminée par un pénible divorce. Mais les débuts avaient été idylliques, et Lily ne lui avait épargné aucun détail. Elle s'était même entendue dire que cet homme était sur le point de demander sa main…

Dès ce moment, son public avait redoublé d'attention. L'admiration et l'envie dont elle faisait l'objet avaient beau être sans fondement, enfin elle jouissait de l'attention, et même de la jalousie, de ses anciennes tourmenteuses. Elle jubilait de voir Samantha Newark, qui l'avait tant persécutée, verte de rage. Promue récemment comtesse de Shipley, elle avait troqué les frisotis et le col Claudine de ses quinze ans contre un blond platine et une robe de couturier, mais apparemment Zoe était restée sa bête noire…

Elle avait beau se répéter en son for intérieur que s'inventer un fiancé était aussi stupide que pathétique, cela lui avait immédiatement conféré plus de prestige que sa brillante réussite professionnelle. Mais là où elle avait passé les bornes, c'était en donnant chair à son fantasme.

Elle avait réussi à surfer sur la crête de ses mensonges, jusqu'à ce que Samantha la prenne à part pour lui susurrer que toute cette histoire lui paraissait beaucoup trop belle pour être vraie. Zoe aurait dû alors hausser simplement les épaules en souriant d'un air énigmatique et répondre à Samantha qu'elle pouvait bien en penser ce qu'elle voulait. Comment avait-elle pu se laisser aller à dire que ce fiancé, elle allait le leur présenter ? Peut-être s'était-elle mise à croire à son propre mensonge ?

Quoi qu'il en soit, malgré la petite voix intérieure qui la sommait de se taire, elle avait affirmé : « Justement, il vient d'arriver. » Très vite, son sentiment de triomphe s'était transformé en panique, elle s'était sentie désespérée de se retrouver aussi misérable que naguère. Elle n'avait alors plus eu d'autre choix que de repérer le candidat le mieux adapté…

Son regard s'était d'emblée posé sur cet homme qui mesurait une tête de plus que les autres. Puis elle avait remarqué ses cheveux bruns, son visage plus qu'avenant, et s'était dit qu'il possédait au moins la plus évidente des qualités de son prétendu fiancé : la beauté. Alors à quoi bon chercher plus loin ?

L'idée de l'embrasser ne lui était venue qu'en s'approchant de lui, quand l'avait envahie une onde brûlante. Ses yeux s'étaient posés sur la bouche de l'inconnu, et elle avait éprouvé un besoin désespéré de la presser sous la sienne. S'ils avaient réellement été fiancés, il aurait paru naturel qu'il l'embrasse et, puisqu'ils ne l'étaient pas, cela donnerait quelque consistance à son mensonge. Elle s'était donc précipitée sur lui et avait plaqué sa bouche contre la sienne.

Durant une brève seconde, elle avait cru qu'il allait l'embrasser en retour, juste avant qu'il ne la repousse. Si elle n'avait pas complètement perdu la raison, elle aurait dû s'attendre à cette réaction : à sa place, c'est exactement ce qu'elle aurait fait. Il ne lui restait donc plus qu'à lui exposer son triste cas en espérant qu'il la prendrait en pitié et accepterait de l'aider…

— Alors ? reprit l'inconnu avec un air impatient et exaspéré.

Zoe prit une grande inspiration. Son cœur battait la chamade. Elle n'avait pas le droit à l'erreur : il fallait convaincre ce bel inconnu…

Dan se demandait quelle histoire la jeune femme allait bien pouvoir inventer pour justifier son attitude.

— Je m'appelle Zoe Montgomery, déclara-t-elle avec un sourire éclatant, qui n'avait rien de surprenant si on considérait tout l'argent qu'elle venait de gagner en une photo. Quant à vous expliquer pourquoi je me suis comportée comme je l'ai fait, je me pose moi-même la question.

Il la toisa d'un regard glacial et, malgré la satisfaction qu'il éprouva à voir s'évanouir son sourire, son cœur se serra brusquement. Pas de doute, il était encore sous le choc, et ce qui venait de se produire avait semé une totale confusion dans son esprit. Une fois de plus, il lui fallait bien constater qu'il avait raison de se tenir en permanence sur ses gardes.

— J'attends tout de même votre explication.

Le regard de Zoe Montgomery s'assombrit.

— Je ne suis pas certaine de pouvoir vous la fournir.

— Essayez toujours.

— Je reconnais que vous avez de bonnes raisons

d'être en colère, dit-elle avec une moue d'excuse. Jamais je n'aurais dû me jeter sur vous de cette façon.

Dan serra les dents en s'efforçant d'ignorer l'effet que produisait sur lui la robe noire et moulante qu'elle portait.

— Si cette photo paraît dans un journal, vous le regretterez, lâcha-t-il froidement.

— Je vous demande pardon ?

— Ce baiser…, lança-t-il sans tenir compte de la chaleur qui l'envahissait à la simple évocation de ce qu'il avait ressenti au contact de ce corps souple et tiède. Toute cette mise en scène…

Elle le fixa d'un air ébahi, bouche bée.

— « Mise en scène » ? Je ne comprends pas. Trente secondes avant, je ne savais même pas moi-même que j'allais le faire.

— Ne vous fichez pas de moi. Vous n'êtes pas la première à jouer ce petit jeu.

— Cela vous est déjà arrivé ?

— Une fois.

Il balaya de son esprit le souvenir douloureux de sa folie et de la trahison que lui avait fait subir sa dernière petite amie en date.

— Je ne vous donnerai pas un sou, sachez-le. Et vous et votre copain le photographe allez recevoir de mon avocat une injonction avant même que vous ayez eu le temps de tourner la tête.

— Quel copain photographe ?

Il scruta la salle à la recherche du complice de la jeune intrigante ; il devait avoir déjà filé car autour de lui personne ne semblait s'intéresser spécialement à eux.

— Ne me prenez pas pour un imbécile. L'innocence s'accorde assez mal avec le genre de robe que vous portez, déclara-t-il sur un ton définitif.

Elle rougit violemment et son regard s'obscurcit. Avec sa longue chevelure blonde et ses yeux couleur de crème au chocolat, elle ressemblait en tout point à l'image qu'il aurait pu se faire de la femme idéale. Malgré lui, il ne put s'empêcher de l'imaginer allongée sur son lit, les cheveux répandus sur l'oreiller, le suppliant de lui faire l'amour. Cette vision était si réaliste qu'il faillit en oublier la situation, mais il détourna la tête et se reprit immédiatement :

— Vous n'avez pas plus de sens moral que tous ces chasseurs de ragot, ajouta-t-il avec rage, parce qu'il fallait bien quand même lui mettre les points sur les *i*.

— Dites donc ! Vous exagérez ! fit-elle en reculant d'un pas, l'air ébahi. Je n'ai rien fait d'autre que vous donner un petit baiser.

Dan était déstabilisé de ne pas maîtriser son corps aussi bien qu'il l'avait toujours fait. Un *petit baiser* ? Peut-être avait-elle raison, après tout...

— Alors, cette explication ? insista-t-il.

Elle se pencha sur lui pour l'observer d'un air méfiant.

— Vous êtes certain que vous allez bien ?

Non, il n'en était pas certain, justement. Cela faisait des mois qu'il n'allait pas si bien que ça. Ou, plutôt, des années. Mais n'était-ce pas normal alors qu'il avait été trahi non pas une seule fois mais deux, et par des femmes à qui il faisait totalement confiance ? Dans ce cas, n'était-il pas naturel de devenir cynique et de nourrir une méfiance immédiate lors de tout contact avec le sexe opposé ?

Dan se passa la main dans les cheveux et inspira profondément pour tenter de recouvrer son calme. Il commençait à être lui-même embarrassé par la façon excessive dont il avait réagi à ce baiser ; il se demandait s'il n'aurait pas commis par hasard une erreur d'interprétation. Cette femme qui s'était jetée sur lui le fixait avec un mélange étonnant de sincérité, d'inquiétude et de perplexité ; et aussi, nota-t-il, une pointe sous-jacente d'angoisse. Pour exprimer une telle confusion de sentiments, elle aurait dû être la meilleure actrice qu'il ait jamais croisée. Et son innocence ne semblait pas feinte — même si, compte tenu de ses précédents déboires, il n'était peut-être pas à même d'en juger.

Toutefois, si tout ce qu'elle cherchait était une photo de leur baiser, pourquoi ne s'était-elle pas déjà éclipsée pour annoncer son succès à son commanditaire maintenant qu'elle avait obtenu ce qu'elle voulait ? Non, sa manœuvre devait avoir un autre motif. Peut-être était-ce une hystérique qui se jetait sur tous les hommes seuls qu'elle croisait ? A moins qu'elle ne soit ivre ?

Lorsque jaillit un autre flash, Dan s'écarta vivement de Zoe Montgomery. Il scruta la salle et aperçut un homme qui faisait une série de photos du groupe de femmes qu'il avait remarqué en entrant, à l'autre bout du pub. Il comprit alors que ce n'était pas lui qu'on photographiait, ni elle, et que le type à l'appareil n'était pas un paparazzi. Il s'était trompé !

— Oubliez tout ça, murmura-t-il.

Dans un proche avenir, il allait sans doute devoir réviser son opinion concernant les femmes. Elles n'étaient peut-être pas toutes aussi épouvantables qu'il le pensait.

— Je ne risque pas d'oublier, répliqua-t-elle. Qui êtes-vous, monsieur-qui-se-fait-embrasser-par-toutes-les-femmes ?

— Dan Forrester, répondit-il, attendant sans enthousiasme la petite étincelle de reconnaissance qui n'allait pas manquer de s'allumer dans son regard.

Mais il n'y en eut pas. Elle continuait à le fixer d'un œil interrogateur, visiblement embarrassée.

— Je ne voudrais pas être désagréable, mais ça ne me dit rien du tout.

— Vraiment ?

— Vraiment. Mais comme je m'intéresse essentiellement à mon travail, si on n'a pas parlé de vous dans *Marketing Responsable,* vous avez peu de chances d'être apparu dans mon radar. Désolée.

— *Marketing Responsable* ?

— C'est un magazine qui traite de statistiques et d'interprétation des données. Passionnant si vous vous intéressez à ce sujet, mais ennuyeux comme la pluie si ce n'est pas le cas.

— Et vous, cela vous passionne ?

— Je suis statisticienne. En général, c'est le moment où tout le monde fuit, ajouta-t-elle en riant.

Dan s'était détendu ; il s'autorisa un sourire.

— Mais pour en revenir au sujet, poursuivit-elle, je crois que vous avez mal interprété mon baiser.

Sans doute, mais son regard s'était attardé une seconde sur les lèvres de la jeune femme, et il en éprouva un tel choc que durant une seconde il faillit l'attirer à lui pour le lui rendre, ce maudit baiser ! Toutefois, il réussit à se maîtriser et enfouit les mains au plus profond des poches de son jean, au cas où elles se seraient mises à agir suivant leur volonté propre.

— Alors éclairez ma lanterne : pourquoi vous êtes-vous jetée sur moi ? demanda-t-il, plus intéressé par sa réponse qu'il n'aurait dû l'être.

— Tout simplement parce que cela faisait partie de mon plan, répondit-elle en plongeant le regard dans le sien.

— Quel plan ?

— Celui que je venais d'élaborer cinq minutes plus tôt.

— Vous ne manquez pas de rapidité.

— J'ai dû improviser, et je reconnais que ça ne m'a pas vraiment réussi.

— Mais je ne comprends pas ce que *moi* je viens faire dans tout ça.

— Je me suis mise dans un sacré pétrin, dit-elle d'une voix soudain tremblante, et j'ai besoin de votre aide.

20

Dan ne répondit pas. Son instinct lui soufflait de partir au plus vite. Même s'il s'était sans doute trompé sur les raisons d'agir de cette fille, il n'était pas du style chevalier servant, si tentante que fût la demoiselle en détresse. Hélas, son cerveau avait beau lui signaler un danger évident, une force inconnue empêchait sa bouche de dire au revoir et ses pieds de bouger — comme s'il avait pris racine, pétrifié par tant de désespoir, brûlant d'en connaître la raison alors qu'il aurait dû s'en moquer.

— Quel genre de pétrin ? finit-il par demander lorsque le silence lui devint trop insupportable.

— Vous voyez cette bande de filles, au fond de la salle ?

En entendant l'une d'elles rire bruyamment, Dan fit la grimace.

— Elles ne passent pas inaperçues. De quoi s'agit-il ?

— Une réunion d'anciennes camarades de pension.

— Elles ont l'air de bien s'amuser.

— Elles sont horribles ! déclara la jeune femme.

— Pourquoi êtes-vous venue ?

— J'ai pensé que ça me ferait du bien.

— Et c'est le cas ?

— Non.

— Pourquoi ne partez-vous pas ?

— Encore une excellente question.

Elle soupira en se mordillant la lèvre, et il ne put s'empêcher de s'imaginer lui-même en train de la mordiller.

— C'est ce que je devrais faire. Mais, ce soir, c'est comme si j'avais totalement perdu la raison.

Tout comme lui, songea-t-il. Il fallait qu'il parte au plus vite !

— C'est bien triste.

— Oui. Jamais cela ne m'était arrivé auparavant. Normalement, je n'embrasse pas les inconnus.

— Je suis heureux de l'apprendre. Mais alors pourquoi l'avoir fait ?

Elle le fixa d'un air pensif, la tête penchée sur le côté, comme si elle se demandait par où commencer.

— Vous êtes déjà allé à une réunion d'anciens élèves en vous demandant comment impressionner les autres par le récit de vos succès ?

— Jamais.

Cela ne lui était même pas venu à l'esprit, et d'ailleurs, si ses anciens camarades s'intéressaient à lui, il leur suffisait d'ouvrir le journal, comme tout le monde.

— Eh bien moi, si. Seulement, ma réussite professionnelle n'intéressait personne. Il n'y en avait que pour les maris et les enfants.

Dan ressentit un élan de sympathie pour Zoe Montgomery. Il savait ce qu'on pouvait éprouver dans de telles circonstances.

— Je sais que ce n'est pas drôle, compatit-il.

— C'est horrible. Toutes ces platitudes concernant les associations de parents d'élèves et les cours de violon pour tout-petits. Ça m'écœure.

— Je vous comprends. Comment un bébé peut-il arriver seulement à tenir un violon ?

— Je ne le leur ai pas demandé. Chez elles, c'est du pur snobisme. D'ailleurs, elles n'ont que deux idées en tête : prouver qu'elles ont fait mieux que les autres mères et glisser dans la conversation les noms des célébrités qu'elles fréquentent. Si c'était une épreuve olympique, elles récolteraient de l'or.

— Et pourtant vous aussi vous tenez à les impressionner ?

— C'est une longue histoire sans intérêt. Disons simplement que je n'étais pas très populaire en pension et que je me suis pris pas mal de coups.

Dan serra les poings. Il savait jusqu'où cela pouvait

aller, à cause de tout ce que sa sœur avait enduré. Et même si, contrairement à Zoe, Celia avait réussi à le surmonter, il se reprochait encore d'avoir été trop traumatisé par le divorce de leurs parents pour la soutenir comme il aurait dû.

— J'ai eu envie de prendre ma revanche, ajouta-t-elle.

— Je vois. Et vous avez cru que votre réussite vous en fournirait l'occasion.

— Peut-être.

— Mais alors, ce pétrin dans lequel vous vous êtes mise ?

Elle rougit et respira un grand coup.

— Je n'ai pas obtenu le succès que j'escomptais, lança-t-elle avec une grimace. Alors, je me suis inventé un fiancé…

— Quoi ? s'exclama Dan, ahuri.

— Je préférerais ne pas avoir à le redire.

— Pourquoi avez-vous fait ça ?

— Parce que j'ai pensé que rien d'autre ne pourrait les impressionner. Je sais que c'est pitoyable et qu'on dirait que j'ai seize ans.

— Et vous n'êtes pas fiancée ?

— Si je l'étais, je n'aurais pas eu besoin de mentir !

Il ouvrit de grands yeux : avec l'allure et le physique qu'avait cette femme, comment était-ce possible ?

— … ni de vous embrasser, acheva-t-elle.

Le souvenir de ce baiser arracha un instant Dan à la réalité.

— Ça a marché, votre petit mensonge ? demanda-t-il, entre amusement, étonnement et curiosité.

— A merveille. Malheureusement, j'ai un peu perdu le contrôle de la situation…

— C'est-à-dire ?

Elle hocha la tête, comme si elle ne comprenait pas

elle-même l'enchaînement des événements qui l'avait conduite dans les bras d'un inconnu.

— Quand j'ai mentionné l'existence de ce fiancé, elles se sont jetées là-dessus comme une bande d'hyènes affamées et m'ont bombardée de questions : Que fait-il ? D'où sort-il ? Ce genre de choses. Et puis elles m'ont demandé si c'était l'homme de ma vie. Elles ne doivent pas savoir que, statistiquement, on a peu de chances de trouver l'homme de sa vie.

— Je vous fais confiance pour que cela vous arrive.

— On a calculé qu'un individu n'a guère qu'une chance sur deux cent cinquante-huit mille de le découvrir. Reconnaissez que le taux est faible. Enfin, passons… J'étais justement en train de décrire toutes les innombrables vertus de ce fiancé imaginaire quand l'une d'elles a déclaré qu'il était trop beau pour être vrai. J'ai été piquée au vif et me suis dit que j'allais demander de l'aide au premier homme à peu près présentable qui passerait à ma portée. C'est à ce moment-là que je vous ai vu : je me suis dit que vous feriez l'affaire.

— Charmant, murmura Dan en se demandant s'il devait se sentir vraiment flatté par tant de candeur.

— Désolée.

— Au moins, vous êtes franche.

Ce qui le changeait agréablement des autres spécimens du sexe opposé qu'il avait croisés…

— Pas vraiment, dans la mesure où je viens de passer un quart d'heure à enchaîner des mensonges. Ce n'est pas dans mes habitudes, mais ce soir j'ai la tête à l'envers. La preuve : ce baiser.

Soudain, elle baissa les yeux d'un air horrifié pour lui examiner la main gauche.

— Vous n'êtes pas marié ou quoi que ce soit de ce genre ?

— Non.

Amusé, Dan songea que sa mère ne se privait pas de le lui reprocher.

— Vous avez une petite amie ?

— Pas pour le moment, répondit il en dissimulant le frisson de rejet qui le parcourait à la simple évocation de cette possibilité.

— Quel soulagement !

— Vraiment ? Remarquez que, si j'en avais eu une, ça n'aurait pas changé grand-chose à l'impression que je pouvais produire sur vos « amies ». De toute façon, vous n'avez pas l'air de ressembler à toutes ces bonnes femmes…

— Je sais bien, dit-elle avec un soupir résigné.

— Ce n'est pas forcément un mauvais point.

— Si vous le dites…, murmura-t-elle, visiblement peu convaincue.

Soudain, Dan ressentit l'envie étrange de la prendre dans ses bras et de lui dire que tout irait bien. Repoussant cette idée saugrenue, il s'efforça de reprendre ses esprits.

— Et si j'avais été marié ou fiancé, qu'auriez-vous fait ?

Elle réfléchit un long moment.

— Je crois que je vous aurais giflé, pour faire croire que nous nous disputions, et je serais sortie… Enfin, mieux vaut pour nous deux que vous soyez libre.

Elle fit un pas en avant en le regardant d'un air implorant ; en sentant son parfum, Dan ne put s'empêcher de se pencher vers elle.

— Alors, qu'en pensez-vous ? demanda-t-elle. Accepterez-vous de m'aider et de jouer le rôle de mon amoureux juste quelques minutes, ou dois-je renoncer et espérer ne plus jamais rencontrer nulle part aucune de ces harpies ?

3.

Même si au départ il s'était totalement trompé sur ses intentions — et l'histoire qu'elle venait de lui raconter était trop alambiquée pour ne pas être vraie —, il était hors de question que Dan accepte de se plier à la comédie ridicule que la jeune femme lui proposait de jouer.

Cinq ans plus tôt, il s'était retrouvé sur la liste des célibataires les plus séduisants d'un magazine *people,* et une certaine presse avait commencé à fouiller sa vie privée, à commenter chacune de ses liaisons et à spéculer sur ses intentions. Puis, l'été dernier, Jasmine avait vendu à un tabloïd célèbre tous les détails de leur histoire. Maintenant, chaque fois qu'il adressait la parole à une femme, les journaux le relataient et le commentaient ; il n'avait aucune envie d'apporter plus d'eau à leur moulin. S'il se livrait à cette petite comédie, on risquait de croire qu'il entamait une nouvelle liaison. Il préférait ne pas penser aux répercussions que cela aurait sur sa vie. Y compris privée.

En effet, sa mère ne ratait jamais une occasion de lui rappeler qu'elle ne rajeunissait pas et qu'elle aurait bien aimé profiter de petits-enfants tant qu'elle en avait encore la force. Dan n'était pas sûr de pouvoir supporter sa désapprobation très longtemps encore. Si jamais elle avait vent d'une nouvelle relation, sa vie allait devenir un enfer. Donc, à moins d'avoir totalement perdu la raison, il ferait mieux de dire adieu à cette fille, de lui souhaiter bon courage et de s'en tenir à son projet antérieur de boire sa bière dans un coin tranquille du pub. D'ailleurs, il aurait été plus avisé encore de le quitter, de trouver refuge à l'écart de ces femmes en délire et d'informer par texto Pete de ce changement de programme.

Mais Zoe Montgomery lui avait apparemment ravi ses dernières parcelles de bon sens. En la voyant lever vers lui ses yeux implorants et bordés de longs cils recourbés, il ne pouvait plus penser qu'au contact de son corps contre le sien, à sa tiédeur, à sa douceur, et au désespoir qu'elle devait éprouver.

Jamais il n'avait lu dans un regard autant d'angoisse, une telle supplication. Jamais il n'avait éprouvé une empathie aussi forte et un tel instinct de protection. Il s'était toujours considéré comme trop prudent et trop cynique pour être ému par une demoiselle en détresse. A sa décharge, il s'était souvent trouvé en butte à des manœuvres destinées à lui passer la bague au doigt contre son gré. Il avait toujours échappé à ces stratagèmes féminins, de justesse parfois. Cette supercherie revêtait pour la jeune femme une importance vitale. Alors, malgré les risques, pourquoi ne pas consentir à l'aider ?

— Très bien, déclara-t-il en dépit de la voix intérieure qui lui affirmait qu'il avait perdu la tête. J'accepte de vous embrasser.

« Merci, mon Dieu ! »

Durant de longues secondes, Zoe avait cru que le bel inconnu allait refuser, lui dire qu'elle était dérangée et passer son chemin. C'était d'ailleurs ce qu'aurait fait toute personne normale. Pas lui. Il avait capitulé. Un baiser n'était pas exactement ce qu'elle attendait de lui, mais c'était toujours mieux que rien.

— Vous m'avez déjà embrassée, protesta-t-elle néanmoins.

— Cette fois, je vais prendre l'initiative, sous les yeux de toute la bande. Histoire de dissiper les doutes qui ont pu naître quand je vous ai repoussée, tout à l'heure.

— Je comprends. Et après ?

— Après, je partirai.

Elle baissa la tête en soupirant. Mais que pouvait-elle attendre de plus ? Qu'il prenne une part plus active encore à cette supercherie dérisoire dans laquelle elle s'était enlisée ? Pourquoi l'aurait-il fait ? Elle devrait déjà lui être reconnaissante de l'embrasser au lieu de la laisser seule endosser les conséquences de son stupide mensonge.

— Voilà comment je vois les choses, reprit-il. Je suis passé vous faire un petit coucou, parce que votre pub se trouvait sur mon chemin. Je vous embrasse et je repars.

Zoe aurait dû se sentir comblée, mais elle s'était déjà imaginée faisant les présentations, sous le regard ébloui de ses ex-tortionnaires.

— Vous êtes certain que vous ne voulez pas rester un peu ? hasarda-t-elle d'une petite voix.

— Je crains que ce ne soit pas une bonne idée.

Il avait raison, certes, mais elle n'avait pas envie de lui dire déjà au revoir. Même si elle ne savait pas trop pourquoi…

— Vraiment ?

— Jusqu'à quel point êtes-vous entrée dans les détails de votre histoire ?

— Je crains d'être allée un peu trop loin, avoua Zoe, embarrassée au plus haut point. J'ai même dû laisser entendre que vous évoquiez le mariage.

Il eut un léger frémissement, qui en disait long sur la répulsion que ce simple mot provoquait en lui.

— Dans ce cas, vous devriez être satisfaite de vous

en tirer à si bon compte. Si j'acceptais de participer plus longtemps à cette comédie alors que je n'ai aucune idée des mensonges que vous avez proférés, je risquerais de vous contredire. Ce serait désastreux.

Un point pour lui, se dit-elle.

— Peut-être, concéda-t-elle du bout des lèvres.

— A coup sûr ! Donc, ma chère Zoe, je vous embrasse et je m'en vais. A prendre ou à laisser.

Elle tâcha de ranimer le bon sens dont elle était en général si bien pourvue, mais qui ce soir semblait l'avoir abandonnée. Dan avait absolument raison : elle avait déjà bien de la chance d'être tombée sur lui et d'avoir pu naviguer à vue compte tenu de la folle histoire qu'elle avait inventée. En insistant, elle risquait de perdre définitivement le contrôle de cette situation impossible. Continuer à jouer cette comédie risquait de la mener trop loin. D'une certaine façon, elle avait obtenu le résultat qu'elle escomptait et enterrait en beauté cette affreuse époque de son passé. Inutile d'insister davantage ; elle n'avait plus qu'à accepter la proposition de Dan.

D'ailleurs, une fois leur baiser échangé, il ne serait pas le seul à s'esquiver. Elle ferait de même. Elle lui prendrait le bras, agiterait la main en direction de ses anciennes camarades et sortirait dans la foulée, la tête haute. Elle serait un peu plus forte après cette petite vengeance, un peu plus riche de considération pour elle-même. Elle rentrerait gentiment chez elle, avant d'oublier cette folle soirée pour aller de l'avant.

Ce baiser, il fallait qu'elle en profite à fond. A la simple idée de sentir la bouche de Dan de nouveau sur la sienne, ses genoux faiblissaient, son cœur battait la chamade, une onde brûlante la transperçait.

— Très bien, dit-elle de l'air le plus détaché possible, mais dans ce cas il faut que nous soyons réellement convaincants.

Son héros d'un soir lui prit la main pour l'attirer à lui et l'entraîner à l'endroit de la salle où ils seraient les plus exposés.

— Je ferai de mon mieux, murmura-t-il en la couvant du regard.

Dan ne put retenir un frisson quand, avec un léger gémissement, la belle inconnue qui l'avait abordé se laissa aller contre lui et noua les bras autour de son cou. Elle n'était pas la première femme qu'il embrassait, loin de là, mais jamais il n'avait connu de baiser semblable à celui-ci. Jamais il n'avait vu le monde s'effacer si instantanément autour de lui, jamais il n'avait senti le désir l'envahir avec tant de force, jamais il n'avait eu tant de mal à résister à la pulsion qui l'assaillait…

D'où pouvait naître cette force irrésistible qui l'incitait à déshabiller cette femme pour lui faire l'amour sans aucunement se soucier de l'endroit où ils se trouvaient ? Sans doute d'une alchimie aussi puissante que mysté-rieuse qui les liait l'un à l'autre. Ce soir, auprès de Zoe Montgomery, toutes ses sensations, toutes ses émotions semblaient poussées à leur paroxysme. Après les révé-lations de Jasmine, il s'était fixé une règle à laquelle il n'avait plus dérogé, même si elle n'était pas dans son caractère : jamais plus de trois rendez-vous avec la même femme. Soudain, dans son cerveau ensorcelé jaillit l'idée que Zoe et lui pourraient peut-être trouver une chambre et…

Il revint aussitôt à la réalité. Il regarda la jeune femme qu'il serrait dans ses bras. Ses prunelles étaient noyées de plaisir, ses joues rouges et ses lèvres gonflées par l'intensité de leur baiser. Elle haletait légèrement et semblait aussi secouée que lui. En le découvrant, Dan faillit perdre définitivement tout contrôle ; il avait l'impression de sentir encore son corps blotti contre le sien, ses seins contre son torse, et il aurait donné n'importe quoi pour recommencer. Mais, selon leur accord, pas question d'échanger un autre baiser, même si celui-ci avait eu sur lui un effet beaucoup plus perturbant qu'il ne l'aurait cru.

— Merci, souffla Zoe d'une voix rauque.

— Je vous en prie.

— J'ai l'impression qu'on y est arrivés, murmura-t-elle en penchant la tête avec un petit sourire sexy.

— Arrivés à quoi ?

Le cœur de Dan battait si fort, son sang était si brûlant dans ses veines qu'il était incapable de comprendre à quoi elle faisait allusion.

— A les convaincre.

Il faillit demander : « A convaincre qui ? » avant de se reprendre, soudain reconnecté au monde. Ses ex-camarades de classe. Ses tortionnaires. C'est pour elles que Zoe l'avait embrassé.

— Si cela ne les a pas convaincues, je me demande ce qu'il leur faut, répliqua-t-il.

Le regard de la jeune femme était fixé sur sa bouche ; à son expression, il crut deviner qu'elle était presque tentée de recommencer. Heureusement, elle s'abstint. Sinon, Dieu sait où cela les aurait entraînés.

— Et maintenant je suppose que vous allez partir ? s'enquit-elle en levant les yeux vers lui.

— Oui.

— Dans un sens, c'est dommage.

« Oui, *très* dommage », songea-t-il, soudain distrait par le regard de pur désir qu'elle posait sur lui et qui mettait ses sens en émoi. Mais, s'il avait accepté de la tirer d'affaire, c'était à condition que sa participation reste limitée. Et la simple idée qu'il pourrait se laisser convaincre d'aller plus loin suffisait à le déstabiliser…

— Dommage, peut-être, mais nécessaire, dit-il.

— Dans ce cas, vous devriez me lâcher.

— Très juste.

Pourquoi ses mains étaient-elles désireuses de s'agripper à elle ? Pourquoi n'avait-il pas déjà tourné les talons et pris la fuite ? Qu'est-ce qui lui arrivait ? Il ne pouvait quand même pas envisager de rester ! Non, il n'était pas devenu fou, il avait retenu les leçons du passé… Mais, dans ce cas, pourquoi était-il en train de chercher à aider Zoe, lui qui n'avait jamais aidé sa propre sœur ? Comment la culpabilité dont il croyait s'être débarrassé des années plus tôt pouvait-elle lui nouer encore l'estomac, malgré le désir qu'il ressentait, malgré le fait que Celia allait bien et n'avait plus besoin de lui ?

Il secoua la tête pour s'éclaircir les idées. Pas question de rester ! Cette comédie comportait trop de risques. Hélas, une autre voix intérieure lui suggérait qu'il était peut-être en train de dramatiser ? Zoe ne l'avait pas reconnu, il en était certain. Ni personne d'autre dans ce pub. S'il s'imaginait que partout, les gens n'avaient que lui en tête, il était devenu complètement parano. Combien de temps allait-il continuer à vivre en redoutant les conséquences de ce que lui avait infligé Jasmine ?

— Dan ?

La voix de Zoe l'arracha à ses pensées confuses et aux idées folles qui lui tournaient en tête.

— Oui ?

— Pouvez-vous me lâcher ? demanda-t-elle en cherchant à se dégager de son étreinte.

— Une minute.

Un éclair de crainte passa dans le regard de la jeune femme.

— Non, tout de suite, l'implora-t-elle.

— Pourquoi ?

— Parce que c'était ce dont nous étions convenus. Si vous ne me lâchez pas maintenant, après, il sera trop tard.

Mais il était déjà trop tard pour lui. Parce qu'il n'avait plus qu'une idée en tête : l'aider. Il le fallait, absolument.

— Et si j'avais changé d'avis ?

— Impossible, répondit-elle d'une voix troublée.

— Pourquoi ? J'ai eu l'impression que vous attendiez de moi davantage qu'un simple baiser.

— Peut-être, mais c'était avant.

— Avant quoi ?

— Avant que je ne change d'avis, bafouilla-t-elle, les joues rouges. Vous avez raison, nous sommes déjà allés beaucoup trop loin et je ne crois pas qu'il faille insister.

Il vit la panique agrandir les pupilles de Zoe lorsqu'elle lança un coup d'œil sur la droite.

— Mon Dieu, chuchota-t-elle d'une voix étranglée, Samantha Newark se dirige vers nous avec toute sa bande. C'est un monstre, une véritable calamité.

— C'est elle qui vous persécutait ?

— Oui. Si nous ne partons pas immédiatement, la situation va devenir très compliquée, comme vous l'avez très justement fait remarquer.

— Les complications ne me font pas peur. D'ailleurs, c'est vous qui avez commencé.

— C'est bien pour cette raison que je veux en rester là.

— Dans ce cas, finissons-en. Pour de bon.

— C'est ce que j'essaie de faire, se défendit Zoe.

— Malgré votre goût pour l'aventure ?

— J'en suis totalement dépourvue.

— J'ai du mal à le croire. Et ce fiancé né de votre imagination ?

— Ça ne vous ennuie pas de mettre une sourdine ? souffla-t-elle d'un air furibond.

— Et ce baiser ? Ça, c'est la marque d'un esprit aventureux !

— Oubliez-le.

— Je crains de ne pas en être capable.

— Il le faudra bien.

Il la serra plus fort contre lui et plongea son regard dans le sien.

— Nous ne pouvons pas en rester là.

— Pourquoi ?

— Ma sœur a été persécutée, comme vous, et ce n'est qu'en affrontant ces monstres qu'elle s'en est sortie. Vous aussi, vous devrez en passer par là si vous voulez aller de l'avant.

— Merci, monsieur le psychologue, mais c'est déjà fait.

— Vraiment ? dit-il en haussant un sourcil sceptique.

— J'ai accompli d'énormes progrès dans ce domaine, mais j'ai peur que ce ne soit pas suffisant pour donner le change à ces garces.

— Je peux vous conseiller : je travaille dans la publicité, un métier où on apprend la manipulation. Le but est de faire croire aux gens ce que vous voulez qu'ils croient, un petit jeu dans lequel je suis passé maître.

— Votre cynisme me surprend.

— Il n'a d'égal que mon imagination. Et puis… je n'ai pas envie de vous quitter.

Dan s'étonna à peine que ces mots, inhabituels dans sa bouche, aient franchi ses lèvres. De toutes les pensées qui dansaient dans sa tête, c'était la seule dont il soit absolument certain. Il aurait voulu embrasser Zoe encore et encore. Non, il n'en avait pas fini avec elle, loin de là !

— Pourquoi ne continuons-nous pas cette conversation sur le trottoir ? reprit-il. Ou dans un autre bar — un restaurant si vous préférez.

— Mon Dieu ! Je sais que ça va se terminer en catastrophe, dit-elle en posant la tête sur son épaule. Et ce sera encore plus horrible, je le sens.

— Zoe !

En entendant son prénom, elle releva la tête et s'aperçut qu'elle était prise au piège, encerclée par la bande de mégères. A regrets, elle dut s'extraire des bras de Dan pour faire face à Samantha et au désastre qu'elle pressentait. La gorge serrée, prête à s'enfuir, elle fit les présentations, convaincue que ses ex-camarades, et particulièrement Samantha, n'allaient pas tarder à la démasquer, détruisant le fragile château de cartes qu'elle avait construit.

Tout semblait se passer au mieux, et Zoe avait fini par se dire qu'elle avait très bien fait d'en passer par là où Dan avait voulu. Une fois les présentations faites et les boissons achetées, il s'était glissé dans son rôle avec une surprenante aisance, discourant avec autant d'aplomb des festivités de la saison londonienne que des sites touristiques de Toscane. On aurait dit qu'il n'avait jamais rien fait d'autre de toute sa vie que jouer au fiancé imaginaire.

Son charme désinvolte obligeait chacune à lui manger dans la main. Il était éblouissant, presque hypnotique, et pourtant totalement naturel. Du grand art. Zoe lui enviait sa façon de parler sans effort, avec un entrain irrésistible, au point que les filles bourdonnaient autour de lui comme un essaim de parvenus autour d'un membre de la famille royale.

Evidemment, son physique très agréable y était pour beaucoup, mais Dan avait d'autres atouts : il dégageait un magnétisme puissant, presque hypnotique. Zoe se dit qu'elle ferait bien de l'observer pour en prendre de la graine car autant elle était nulle dans ce genre de situation sociale, autant il paraissait y évoluer comme un poisson dans l'eau.

— Alors, Dan, minauda Harriet Denham-Davis, née

Williams, l'une des copines les plus dociles de Samantha, Zoe nous a dit que vous aviez une très belle situation.

Zoe roula des yeux en jetant à son compagnon un regard enamouré.

— Elle a tendance à exagérer, dit-il en lui offrant un sourire complice. N'est-ce pas, chérie ?

— Mais pas du tout, mon cœur ! s'exclama-t-elle en lui souriant en retour.

Lorsqu'on lui avait demandé le nom de son fiancé, incapable, dans son désarroi, d'en inventer un, elle s'était contentée de répondre : « Je l'appelle : mon cœur. »

— Dans quel domaine ? insista Harriet.

— La pub.

— Terriblement créatif. Et l'agence ?

— DBF Associates.

Mazette, se dit Zoe en tiquant. L'agence la plus réputée de Londres. Une équipe brillante et toujours innovante.

— Qu'y faites-vous ?

— Elle m'appartient.

Zoe s'efforça de rester impassible : quelle que soit l'activité réelle de Dan, sa petite amie ne pouvait manquer d'être au courant. D'un autre côté, qu'y avait-il de si surprenant à ce qu'il possède sa propre agence ? Après tout, elle aussi était chef d'entreprise.

— Appartiendriez-vous par hasard à la famille Ashwicke-Forrester ? poursuivit Harriet, qui semblait bien décidée à pousser plus loin son enquête.

— C'est exact.

Zoe ne savait rien des Ashwicke-Forrester, mais Harriet vibra de plaisir. Ses yeux étincelaient de bonheur.

— Comme c'est excitant ! J'ai rencontré vos parents il y a des années, au bal du *Queen Mary*. Un couple charmant. Comment vont-ils ?

— Ils ont divorcé.

Le regard d'Harriet s'assombrit quand elle comprit qu'elle avait gaffé.

— J'en suis désolée.

— Vraiment ? répondit Dan d'un air sceptique.

Zoe perçut sous ses dehors charmants une dureté qui la troubla. Il était clair que le divorce de ses parents était un sujet sensible. Le mariage aussi, sans aucun doute. Mieux valait donc éviter toute allusion à la prétendue demande en mariage de son faux fiancé. Elle doutait toutefois que Samantha, Harriet et compagnie laissent tomber l'affaire.

Le ton abrupt de Dan n'avait pas réussi à dissuader ses deux interlocutrices les plus tenaces, peut-être parce qu'au pensionnat Sainte-Catherine, il était de règle de ne jamais laisser stagner la conversation.

— Je me disais bien... ça y est, je vous reconnais ! s'écria Samantha au comble de l'excitation. C'est vous, le fameux Dan Forrester !

4.

Dans le grand silence qui s'était fait suite aux paroles de la plus méchante des femmes du groupe, Dan se dit qu'il ferait mieux de quitter immédiatement les lieux. Comment avait-il pu être assez stupide pour croire qu'on n'allait pas le reconnaître ? Le téléphone arabe n'allait pas tarder à fonctionner, et il y avait toutes les chances que cette gentille supercherie prenne bientôt dans certains médias une ampleur terrible.

Que faire ? S'il restait, il ne ferait que s'enfoncer davantage. S'il partait, il donnerait à cette comédie une tout autre dimension, car on interpréterait sa fuite comme une preuve supplémentaire de l'histoire forgée par Jasmine. Ce qu'il préférait quand même éviter.

Bon sang, il était coincé !

Un instant il hésita, pesant le pour et le contre. En prenant congé, la maîtrise de la situation lui échapperait, on parlerait de lui dans le journal et, une fois de plus, sa réputation serait mise à mal. Tant qu'à être dans le pétrin, il valait mieux essayer de contrôler la situation.

Zoe n'y était pour rien puisqu'elle avait tenté de le dissuader de rester. C'est lui qui s'était fourré dans ce guêpier. Donc, s'il était aussi honnête qu'il s'en flattait, il devait rester et assumer les conséquences, si pénibles soient-elles.

D'une certaine façon c'était si ridicule que c'en devenait

presque drôle, songea-t-il en s'efforçant de positiver. Depuis six ans qu'il avait créé sa propre agence, il avait peu à peu délégué à ses collaborateurs l'essentiel du travail créatif pour se concentrer sur la gestion de l'entreprise. Il le regrettait un peu : il aurait eu bien besoin ce soir d'être un peu moins rouillé pour gérer ce qui allait suivre. Il prit le parti d'écouter et regarder avec la plus grande attention pour répondre correctement ; laisser Zoe mener l'affaire mais intervenir de temps en temps, à bon escient, en se concentrant à cent pour cent.

Pris sous le feu des regards qui le transperçaient, il se redressa donc et fixa la prénommée Samantha droit dans les yeux.

— Je suis Dan Forrester, oui.

Zoe se serra contre son flanc en un mouvement qui se voulait rassurant, mais qui le déstabilisa car le contact de sa poitrine lui donna une envie irrésistible de la prendre dans ses bras.

— Partout, sa réputation le précède, déclara-t-elle fièrement.

— J'en suis convaincue, murmura Samantha.

Elle avait dans les yeux une étincelle de méchanceté qui fit courir un frisson glacé le long de l'échine de Dan.

— Dis donc, Zoe, reprit la harpie, tu m'as bien dit que ça fait un certain temps que vous vous connaissez, Dan et toi ?

— Six mois, répondit Zoe d'un ton rêveur. Six longs mois de bonheur sans nuages.

Malgré la douce chaleur qui l'avait envahi au contact de son corps tiède et délicatement parfumé, il ne put s'empêcher de frémir en voyant le piège se refermer sur eux.

— Mais, Dan, il y a six mois, vous sortiez encore avec Jasmine Thomas, non ? s'enquit Samantha d'une voix doucereuse.

Zoe se raidit contre lui. Elle n'avait bien sûr pas eu le loisir d'envisager une possible infidélité dans son idylle imaginaire…

— C'est juste, répondit-il, sans trouver d'échappatoire.

— Qui est Jasmine Thomas ? demanda-t-elle.

— Une actrice, intervint Harriet.

Zoe haussa les sourcils, l'air indigné, avant de se tourner vers lui et le foudroyer du regard.

— Jamais tu ne m'as parlé d'elle !

— Disons que cette histoire est très loin derrière moi, répondit-il, en s'étonnant qu'une simple allusion à cette affaire persiste à provoquer en lui un tel malaise.

Samantha, de son côté, le fixait d'un air de triomphe, visiblement ravie de se retrouver dans son élément : méchanceté, ragots et calomnies.

— Si je ne me trompe, elle a vendu à la presse le récit de votre liaison ?

— Oui.

— Quelle horreur ! s'exclama Zoe sur un ton plein de sympathie. Comment a-t-elle pu faire une chose pareille ?

— Parce que j'avais rompu.

Un mois après sa rencontre avec Jasmine, il n'avait plus supporté son caractère frivole et superficiel. Elle l'avait alors accusé d'être un malade, incapable d'avoir une relation normale.

— Donc, c'était la vengeance d'une femme délaissée.

— Je l'imagine.

— Quelle banalité ! conclut Zoe.

Sans doute, mais il en avait beaucoup souffert et cette histoire continuait à le poursuivre. Voilà déjà six mois que cela s'était produit, mais pas moyen d'oublier.

— Tu n'étais pas au courant ? demanda Samantha en fixant Zoe d'un œil suspicieux.

— Eh bien… Nous étions si bien au chaud dans notre

petit cocon d'amour que nous ne nous occupions pas trop du monde extérieur, pas vrai, mon cœur ? murmura Zoe en le prenant par la taille.

— Mais oui, répondit-il, avant de lui poser sur la joue un petit baiser.

— Malgré toutes ces autres femmes ? demanda une brunette à l'air pincé, qui avait dans les cheveux le même bandeau violet qu'elle devait porter en pension dix ans auparavant.

— Des écrans de fumée, assura Dan.

— Si je comprends bien, intervint Zoe, tu sortais encore avec cette Jasmine quand nous nous sommes rencontrés sur les pistes, dans les Alpes italiennes ?

— Mais non ! Nous avions rompu depuis quinze jours au moins, et je n'avais d'yeux que pour ta silhouette moulée dans cette combinaison noire.

— Moi qui pensais t'avoir impressionné par ma virtuosité sur la piste… De mon côté, j'avais noté ton habileté à négocier les bosses.

— Eh bien, tu t'es trompée. Ce qui m'a conquis, c'est ta combinaison noire si sexy.

— Et c'est donc mon allure qui t'a décidé à m'inviter en boîte ce soir-là ?

— Exactement.

— C'est décevant…, le taquina Zoe.

— Excuse-moi, mais tu m'avais dépassé à une telle vitesse que j'avais simplement remarqué que tu étais très sexy, dit-il en parcourant d'un regard appuyé le corps de la jeune femme. Et je continue à le penser.

Les prunelles de Zoe s'assombrirent, et elle se blottit contre lui. La gorge sèche, Dan porta son verre à ses lèvres et but une longue gorgée.

— J'ai éprouvé la même impression, et je continue à l'éprouver, répondit-elle d'une voix un peu rauque. Sinon, jamais je n'aurais couché avec toi dès le premier soir.

A ces mots, il faillit renverser sa bière.

— Certes, la grappa était peut-être pour quelque chose dans cet exceptionnel moment d'abandon…, poursuivit-elle.

— Surtout, ne me parle plus de grappa, dit-il en grimaçant. Dès que j'entends ce mot…

Elle lui lança un regard plein de nostalgie.

— Tu la buvais comme du petit-lait.

— Si tu n'avais pas demandé qu'on joue cette musique débile et insisté pour me faire danser…

— Comment ? s'exclama sa fausse fiancée, à fond dans son rôle. Mais tu as prétendu que tu adorais ce morceau !

— Qui veut la fin veut les moyens !

— Tu avais donc tellement envie de m'attirer dans ton lit ? demanda Zoe, avec dans la voix un regret qu'il jugea pas totalement feint.

— Qu'est-ce que tu crois ?

— Que nous avons eu bien de la chance que la grappa n'ait nui en rien à tes performances.

En disant cela, elle le regardait d'une façon si intense que Dan frémit de la pointe des cheveux à l'extrémité des orteils. Il ne put s'empêcher de l'imaginer nue entre ses bras.

— Ni aux tiennes, murmura-t-il.

— Ah ! Quelle nuit !

— Comme c'est romantique, soupira Harriet. Zoe nous a dit que vous étiez le yin de son yang, le nord de son sud, et je la crois. Vous êtes faits l'un pour l'autre.

— Mais oui ! acquiesça Zoe, sur un ton si passionné et rêveur qu'un instant Dan eut l'impression qu'elle ne jouait pas la comédie.

Au moment où se déclenchait son signal d'alarme interne, en dépit de son cerveau embrumé et de la chaleur qui embrasait tout son corps, la voix acide de Samantha s'éleva :

— Zoe prétend que vous étiez sur le point de lui demander sa main, Dan. Alors dites-nous : quand allez-vous enfin faire d'elle une honnête femme ?

Un filet de sueur glacée descendit lentement le long de son échine. Comment pouvait-il avoir oublié ? Quand Zoe lui avait révélé ce détail, il ne pensait pas que les choses iraient aussi loin. Mais maintenant il ne pouvait quand même pas s'enfuir en courant en la plantant là ! Cette attitude n'aurait pas été loyale ; et puis, il s'était juré d'aller jusqu'au bout…

Brusquement, il décida d'improviser et de demander tout de suite en mariage sa fausse fiancée ; juste après, il ferait mine de l'emmener célébrer l'événement ailleurs, en privé.

— Vous avez raison : depuis six mois qu'elle est le yin de mon yang, il est vraiment temps que je fasse d'elle une honnête femme.

— Tu ne trouves pas qu'il est un peu tard dans la soirée pour formuler ce genre de demande ? protesta Zoe.

— Il n'est jamais trop tard pour les braves !

Il la prit dans ses bras pour l'attirer à lui.

— Zoe Montgomery, veux-tu m'épouser ?

— Avec joie.

— Parfait, chuchota-t-il avant de l'embrasser à pleine bouche.

« Dieu merci, tout est fini », se dit Zoe en enfilant le manteau que lui présentait Dan. Elle se demanda si le frisson qui courait le long de son dos était dû à la fraîcheur du soir ou au contact des doigts de son compagnon sur sa nuque.

Jamais elle n'avait ressenti simultanément tant d'émotions contradictoires, et elle en frémissait encore. A un moment, quand Dan avait commencé à jouer sérieusement la comédie, à la tripoter et à l'embrasser en lui souriant et en la couvant du regard, elle avait senti ses jambes se dérober. Elle aurait vacillé s'il ne l'avait soutenue d'une main ferme. Et, quand ses anciennes condisciples avaient mentionné la longue liste des conquêtes de son soi-disant fiancé, une pointe de jalousie si aiguë l'avait traversée qu'elle en avait eu l'estomac noué. Comment cette innocente comédie avait-elle pu produire sur elle un tel effet ? Elle n'était pourtant pas une midinette !

Elle boutonna son manteau sans s'autoriser à laisser son regard s'attarder sur les épaules de Dan, qui enfilait sa veste. Depuis qu'il l'avait prise dans ses bras, elle ne pouvait s'empêcher de se demander ce qu'elle ressentirait si c'était pour de vrai, si quelqu'un éprouvait vraiment pour elle un tel sentiment et désirait l'épouser... Cela ne ressemblait pas à la femme réaliste qu'elle était.

Elle secoua la tête pour chasser ces pensées importunes et tenter de reprendre ses esprits. Quelle absurdité ! Due à la fatigue, sans doute. Ou au stress. Oui, c'était sûrement ce qui l'avait poussée à sauter au cou de cet inconnu, qui avait accepté de jouer le rôle du chevalier blanc.

Alors pourquoi ne pas tenter de mieux le connaître ? Elle pourrait lui offrir un verre pour le remercier de l'avoir tirée de ce mauvais pas. Ou peut-être pourraient-ils aller dîner et voir ce qui se passait ensuite ?...

Jusque-là, jamais elle n'avait fait à personne une telle proposition. Toutefois, après des mois de rencontres en ligne désastreuses et tout ce qu'elle avait enduré ce soir, ce n'était pas insurmontable. Il était seul, elle aussi, et ils étaient attirés l'un par l'autre. Clairement.

Donc pourquoi pas ? se dit-elle, le cœur battant. Elle avait tout à y gagner et peu à perdre. Dans le bar, Dan lui avait confié qu'il n'avait pas envie de la quitter,

44

ce qui paraissait plutôt rassurant. Les risques d'une humiliation étaient si minimes qu'ils en devenaient négligeables. Néanmoins, en se tournant vers lui, son estomac se tordit et une boule se forma dans sa gorge.

— Je ne sais comment vous remercier pour votre aide, articula-t-elle avec difficulté.

Il la fixa avec un sourire un peu crispé.

— Je vous en prie.

— Vous avez été merveilleux.

— C'est plutôt vous qui avez été merveilleuse. Vous avez vraiment imaginé toute cette histoire sur le moment ?

— J'en ai emprunté l'essentiel à la rencontre de ma sœur et de son ex, en modifiant quelques détails. Vous savez, ce n'était pas vraiment la peine de me demander en mariage.

— Cela m'a semblé clore agréablement l'affaire, mais y ont-elles vraiment cru ?

— A toute cette comédie ? Je ne sais pas trop. Il faudra que je fasse le point.

— Ces garces ne valent pas la peine que vous dépensiez davantage d'énergie sur leur cas.

Zoe sourit. Il avait raison, mais son désir de revanche était plus fort qu'elle.

— Vous, vous étiez persécuté à l'école ?

— Non.

— Alors pour vous c'est facile à dire.

Il haussa légèrement les épaules en enfonçant les mains dans les poches de son jean.

— Peut-être. Mais ma sœur, elle, l'a été. Ces filles sont en général des lâches, comme cette Samantha par exemple.

— C'est un monstre.

— Oui, et elle est jalouse de vous.

— Jalouse de moi ? s'exclama Zoe, stupéfaite.

— Oui. Terriblement jalouse.

— Pourquoi le serait-elle ?

— Parce que vous êtes belle, intelligente et que vous avez réussi.

Pensait-il vraiment ce qu'il venait de dire ? se demanda Zoe en s'abandonnant à la délicieuse bouffée de vanité qui l'envahissait.

— Je crois aussi qu'elle donnerait un bras pour être douée de la moitié de votre esprit d'entreprise, continua-t-il avec un petit sourire complice.

Sa température monta d'un cran. Le sourire de Dan s'élargit et une étincelle passa dans ses yeux. Pour la première fois depuis des lustres, Zoe sentait que quelqu'un était réellement de son côté. A fond. Et il le lui avait prouvé toute la soirée. Bien décidée à chasser de son esprit Samantha et ses séides, elle respira un grand coup pour concentrer sur Dan toute son énergie.

— Que diriez-vous d'aller boire un verre ou manger quelque chose ? demanda-t-elle sur un ton faussement léger.

Il s'arrêta de marcher et se tourna vers elle, un sourcil levé.

— C'est une invitation en règle ?

Aussitôt, toute l'assurance qu'elle éprouvait quelques instants plus tôt s'évanouit, et elle rougit jusqu'à la racine des cheveux.

— Si vous voulez, oui.

— De toute façon, nous sommes fiancés, non ? Plus besoin de faire de manières.

— Pouvez-vous simplement répondre à ma question ?

— J'aurais été ravi, mais…

Il s'interrompit et fixa un point juste derrière elle, réduisant à néant ses espoirs stupides.

— N'en parlons plus, lâcha-t-elle, dépitée.

— Mais si !

— Dan ! lança une voix masculine derrière eux. Enfin !

En se retournant, Zoe aperçut un grand type sur le trottoir, qui fonçait dans leur direction. Elle comprit soudain à quel point elle s'était trompée et, une fois de plus, le rouge lui monta aux joues d'avoir été si nulle. Evidemment, si Dan se trouvait dans ce pub, c'était qu'il avait rendez-vous avec quelqu'un ; il n'était donc pas question qu'il prenne un verre avec elle. Les gens normaux — et surtout les gens comme Dan Forrester — avaient des amis avec lesquels ils faisaient des projets pour leurs soirées. Jouer les fiancés fictifs et nouer des relations invraisemblables ne figuraient pas au programme.

Pourquoi un homme connu, qui avait sous la main des douzaines de filles prêtes à tout pour satisfaire ses désirs, doté d'un tel charisme, d'une telle confiance en soi et d'un physique sublime aurait-il envie de s'afficher avec une idiote de son espèce ? Comment avait-elle pu s'imaginer qu'il ait apprécié l'improbable comédie qu'elle l'avait obligé à jouer au bénéfice de cet affreux auditoire ?

Elle baissa la tête et rentra les épaules, accablée. Pourquoi avait-elle ouvert ce maudit message ? Pourquoi ne l'avait-elle pas envoyé directement à la corbeille ? Pourquoi s'était-elle sentie obligée de prouver quelque chose à ces maudites mégères ?

Et, surtout, pourquoi le sol ne s'ouvrait-il pas en ce moment même sous ses pieds pour l'engloutir à jamais ?

— Excuse-moi, dit le nouveau venu, essoufflé, en serrant la main de Dan. Mon métro est tombé en panne, et nous sommes restés des heures à attendre dans un tunnel. J'ai cru que j'allais te manquer mais, Dieu merci, tu es encore là.

Il se tourna vers elle et la toisa de la tête aux pieds, avant de sourire d'un air entendu.

— Qui est-ce ?

— Pete Baker, Zoe Montgomery, annonça Dan.

— Justement, j'étais sur le point de partir, dit-elle avec précipitation.

Elle n'avait plus qu'une idée en tête : fuir au plus vite le lieu de son humiliation.

— Vraiment ? Pourquoi ne venez-vous pas prendre un verre avec nous ? demanda Pete.

Pour prolonger sa souffrance ? Jamais de la vie !

— Merci, mais je dois absolument y aller. Un travail urgent…, balbutia-t-elle. Dan, merci encore pour votre aide. Passez une bonne fin de soirée.

Elle leur adressa à tous deux un sourire qu'elle voulut amical, tourna les talons et se dirigea vers l'entrée du métro en courant.

5.

Assis à sa table de cuisine devant son troisième expresso du matin, Dan fixait d'un œil hostile un rapport concernant l'agence qu'il envisageait d'acquérir aux Etats-Unis quand la sonnerie de son téléphone retentit.

— Qu'est-ce que j'apprends ? Mon grand frère adoré a décidé de se fiancer ?

Il sursauta si violemment qu'il faillit en renverser sa tasse. D'autres gens auraient sans doute entamé la conversation par un : « Salut, comment tu vas ? », mais pas Celia. Avec sa sœur, on était toujours sûr d'entrer directement dans le vif du sujet — elle était trop occupée pour perdre une seconde. Et toujours prête à le titiller pour le plaisir.

Il posa sa tasse et s'éclaircit la gorge.

— Pardon ?

— Fi-an-cé, répéta sa sœur en détachant chaque syllabe comme s'il était demeuré. Hier soir, dans un pub, toi avec une fille que tu aurais demandée en mariage. Ça te rappelle quelque chose ou as-tu bu tellement de champagne pour célébrer l'événement que ton cerveau ne répond plus ?

Dan s'accouda à la table en se frottant les yeux de sa main libre. Le brouillard se dissipa peu à peu dans son cerveau, et la succession des événements de la veille lui apparut de façon plus nette. Horriblement nette.

En général, pour fonctionner à plein rendement, il avait besoin de huit bonnes heures de sommeil. Or il n'en avait eu que trois. Pourtant, contrairement à sa productivité — qui semblait au plus bas en cette matinée —, sa mémoire redevint quasiment normale. On aurait même dit que concernant les douze heures précédentes, en particulier les baisers échangés avec Zoe et son départ en catastrophe, ses souvenirs étaient d'une netteté inhabituelle, et pour tout dire plutôt dérangeante.

— Fiancé ? Pas du tout, protesta-t-il, en regrettant de ne pas avoir assez bu avec Pete pour tout oublier de cette soirée.

— Allez, accouche ! Si cette Zoe Montgomery, la reine des stats, doit devenir ma belle-sœur, je veux tout savoir : où vous vous êtes rencontrés, depuis quand vous vous connaissez, pourquoi tu ne m'as jamais parlé d'elle et si elle va t'accompagner au mariage d'Oliver.

Dan faillit répondre du tac au tac : au pub, il y a douze heures, parce qu'il ne la connaissait pas lui-même et en aucun cas. Au lieu de cela, il se figea soudain sur sa chaise. D'où Celia tenait-elle tous ces détails ? A 7 heures du matin, le téléphone arabe ne s'était pas encore mis en marche.

— Où as-tu appris tout ça ? s'enquit-il, redoutant déjà la réponse.

— Tu ne lis donc jamais les journaux ?

Le café qu'il venait d'avaler remonta dans son estomac. Mon Dieu ! Non, ils n'avaient pas pu remettre ça !

— Celia, dit-il d'une voix rauque et qu'il jugea lui-même étrange, je te rappellerai plus tard.

Cinq minutes et quelques clics plus tard, il lui fallut bien faire face à l'irréfutable vérité…

Ses pires inquiétudes sur les dangers de la petite supercherie imaginée par Zoe Montgomery étaient désormais confirmées. Sur toute la largeur de l'écran de son portable, s'étalait noir sur blanc un titre racoleur : *Le célibataire le plus séduisant de Londres s'est-il enfin laissé piéger ?* Au-dessous, une photo immortalisait le second baiser qu'il avait échangé avec Zoe, un baiser si passionné que cette fois-là il n'avait même pas remarqué le flash de l'appareil.

Sous la photo, l'article commençait par un bref paragraphe concernant les événements qui avaient précédé cette rencontre. Puis on y apprenait que Zoe avait obtenu un doctorat en statistiques d'une des universités les plus réputées du pays et qu'elle dirigeait Montgomery Mystery Shopping Limited en association avec sa sœur Lily. Toute la carrière de Dan était ensuite disséquée, sans omettre l'histoire vendue par Jasmine et ses éphémères conquêtes.

La seule personne à laquelle il n'était pas fait allusion — et qui d'ailleurs n'avait jamais été mentionnée nulle part — était Natalie Blake, qu'il avait connue à vingt-cinq ans. Une relation qui avait commencé à lui faire perdre confiance en les femmes et qui avait bien failli le rendre fou. Heureusement, cette histoire lui était arrivée à un moment où il n'était pas encore dans la ligne de mire des journalistes, et Natalie n'aurait eu aucun intérêt à la divulguer et à annoncer au monde entier qu'elle avait avorté pour ne pas nuire à sa carrière de top-modèle.

D'où venait la fuite, cette fois-ci ? se demanda-t-il en tentant de rassembler ses esprits. De Zoe ? D'une autre femme ? Le mal était fait, certes, pourtant il se sentait terriblement déçu de voir confirmés ses soupçons et ses inquiétudes. Il se serait volontiers donné des gifles de s'être montré si stupide et d'avoir négligé la voix de la raison qui lui avait soufflé de prendre ses jambes à son cou. Comment avait-il pu faire preuve de tant d'imprudence, lui qui se targuait de toujours contrôler toute situation ?

Il se passa la main dans les cheveux, bien décidé à réagir. Désormais, il fallait limiter les dégâts et se tirer du pétrin où l'avait fourré son stupide esprit chevaleresque. Comme si sa vie n'était pas déjà assez compliquée ! Tout en se carrant dans sa chaise, il envisagea les deux solutions qui s'offraient à lui. Il trancha pour celle qui lui évitait de continuer à jouer cette misérable comédie — il n'avait nul besoin d'une prétendue fiancée. D'ailleurs, la présence d'une telle figure à l'arrière-plan ne pourrait qu'encourager sa mère à nourrir des espoirs sans fondement. Quant à Zoe, qui avait d'ailleurs tenté de l'empêcher de pousser trop loin cette farce, en dehors de cette réunion d'anciennes élèves, elle n'avait pas l'air d'avoir besoin dans sa vie d'un faux fiancé.

La prévenir qu'il allait rompre leurs « fiançailles » était la moindre des choses. Restait à museler Celia. Depuis qu'il connaissait sa cadette — elle avait trente et un ans, soit deux ans de moins que lui —, il avait appris qu'il valait mieux étouffer ce genre d'affaire dans l'œuf. S'il tentait de louvoyer, elle en arriverait immanquablement à une fausse conclusion et la rumeur s'amplifierait, jusqu'aux oreilles de leur mère à n'en pas douter.

Tout d'abord, il lui fallait contacter Zoe ; mais il était 7 heures du matin : il ferait mieux d'attendre un peu avant de l'appeler, en priant pour que personne ne l'ait mise au courant avant lui.

A la perspective de ces deux pénibles appels, il serra les dents en se jurant que jamais plus il ne se laisserait guider par sa générosité ou son empathie, même si une belle demoiselle le suppliait en battant des cils de venir à sa rescousse.

*
* *

52

Quand la sonnerie retentit, Zoe sursauta. Elle était plongée dans son travail, entièrement absorbée par les colonnes de chiffres qui défilaient sous ses yeux — à tel point qu'une tasse de café pleine refroidissait à côté de l'ordinateur.

— Hello, murmura-t-elle distraitement, en jetant un regard suspicieux au résultat inattendu qui s'affichait sur son écran.

— Bonjour, Zoe.

En entendant cette voix, elle se figea instantanément, frémissante. Elle oublia les chiffres et ses calculs savants tandis que le souvenir de la soirée lui revenait à la mémoire, malgré tous les efforts qu'elle avait faits depuis la veille pour l'en chasser.

Bien décidée à surmonter l'émotion qui la paralysait, elle respira un grand coup et se souvint que cette aventure n'avait constitué qu'un simple accroc dans une existence rationnelle et parfaitement réglée. Elle n'avait plus seize ans et elle était de taille à assumer toutes les difficultés qui pouvaient se présenter sur son chemin.

Même si la difficulté se nommait Samantha Newark…

— Bonjour, Samantha, articula-t-elle sur un ton froid et détaché. Comment vas-tu ?

— Je suis en pleine forme. Ravie de la soirée d'hier.

— Oui, nous nous sommes bien amusées.

— Et cette demande en mariage, quelle surprise !

Au souvenir des bras qui l'avaient enlacée et des lèvres qui s'étaient posées sur les siennes, une douce chaleur envahit Zoe. Elle remercia le ciel que Samantha ne puisse pas l'observer.

— Dan ne fait jamais les choses à moitié.

— Ça, tu peux le dire ! répondit Samantha, sur un ton entendu qui éveilla immédiatement les soupçons de Zoe.

— Que puis-je faire pour toi ?

— Je t'ai simplement appelée pour prendre de tes

nouvelles, déclara son ex-bourreau d'une voix pleine d'une feinte inquiétude.

— De mes nouvelles ? Mais je nage dans le bonheur.

Ignorant ses soupçons, Zoe tenta de se dire que si elle avait vraiment été fiancée à Dan elle aurait été heureuse.

— Ça me surprend beaucoup.

— Pourquoi ?

— Compte tenu des circonstances, je m'imaginais te trouver au plus bas.

— Quelles circonstances ? s'enquit Zoe, la curiosité l'emportant sur l'instinct de conservation.

— La rupture de tes fiançailles, évidemment.

— La rupture de mes fiançailles ! s'écria-t-elle, un peu trop fort à son goût.

Elle avait l'impression qu'une main géante lui broyait la poitrine.

— Ne me dis pas que tu n'es pas au courant ! s'exclama Samantha avec un gloussement de plaisir.

S'il s'était agi de n'importe qui d'autre, Zoe aurait immédiatement confirmé le fait. Mais Samantha… Depuis qu'elle avait bêtement réagi à l'arrivée de Pete en prenant honteusement la fuite, Dan ne s'était pas manifesté. D'ailleurs, elle avait été si prise par son travail ce matin qu'elle n'avait pas décroché le téléphone, jusqu'à cet appel de Samantha. Pas question de lui demander d'où elle tenait cette information, ni de lui donner le plaisir de lui fournir une explication.

En quittant le pub, elle avait eu l'impression de l'emporter sur son ancienne camarade, pour la première fois de sa vie. Hélas, celle-ci s'était empressée de reprendre la main et se trouvait de nouveau en capacité de la faire souffrir. Non, elle ne supporterait pas que cette hyène lui gâche sa matinée en se moquant d'elle une fois de plus.

Sentant resurgir l'horrible sentiment de rejet et d'inadaptation qu'elle croyait avoir surmonté, elle se dit qu'il lui fallait mettre au plus vite un terme à cette conversation avec un maximum de dignité et tenta d'imaginer une explication. En vain. Désespérée, humiliée, elle mit Samantha en attente sous le prétexte d'un double appel, en proie à une incoercible nausée.

Soudain, elle s'immobilisa, l'esprit en éveil, et releva la tête. Comment pouvait-elle encore en être là, au bout de quinze ans ? Quinze ans ! Comment pouvait-elle encore se déprécier de la sorte, se faire ainsi souffrir ? Il lui fallait agir, et vite, surmonter définitivement cette angoisse. Une fois pour toutes. Dan avait raison : en le faisant, elle se donnerait toutes les chances d'aller enfin de l'avant. Comme il l'avait proclamé la veille, Samantha et ses âmes damnées ne valaient pas la peine qu'on gaspille pour elles la moindre énergie. Elle n'en avait que trop dépensé durant sa jeunesse, à jouer un rôle qui n'était pas le sien et à s'excuser d'être qui elle était.

Car, au fond, qu'avaient-elles de plus qu'elle, ces harpies ? Jamais elle ne les avait aimées. Néanmoins, pendant toute son adolescence, elles l'avaient impressionnée et Zoe s'était efforcée par tous les moyens de s'intégrer à leur bande. Et, si elles l'avaient ainsi persécutée, c'est qu'elles étaient elles-mêmes faibles et pitoyables.

Mortifiée de ne pas en être arrivée à cette conclusion quinze ans plus tôt, à un moment où tout ceci revêtait encore de l'importance, Zoe se décida à mettre un terme à cette dépendance qui n'avait que trop duré.

— Vous vous êtes donc laissé prendre à notre petite comédie ? déclara-t-elle calmement en reprenant la ligne, libérée de la panique et de la nausée qui l'avaient submergée.

— Comment cela, « votre petite comédie » ? fit Samantha. La demande en mariage ?

— La demande en mariage et tout le reste.

En percevant le désarroi de son ennemie, Zoe sentit monter en elle un extraordinaire sentiment de puissance.

— Il n'y a jamais eu ni rencontre au ski, ni grappa, ni combinaison moulante, poursuivit-elle sur un ton léger. C'est moi qui ai tout inventé.

Long moment de silence stupéfait.

— Mais… mais Dan, alors ? bafouilla finalement Samantha.

— Je venais juste de le rencontrer. Je lui ai demandé de m'aider.

La peste à l'autre bout du fil ne mit pas longtemps à reprendre ses esprits :

— Je le savais ! Jamais tu n'aurais pu séduire un homme comme lui.

— Je doute qu'aucune femme y parvienne, rétorqua Zoe.

Lorsqu'elle avait prétendu qu'ils sortaient ensemble depuis six mois, elle avait réellement senti Dan se crisper. Et quand le sujet du mariage était venu sur le tapis…

— Toi, tu as toujours voulu être indépendante et tout régenter, lança Samantha comme si c'étaient les deux pires défauts au monde.

L'exaspération de Zoe redoubla : il n'y avait vraiment aucun mal à avoir le sens des responsabilités et à chercher à rester maîtresse de sa vie.

— C'est toujours le cas.

— Il n'empêche que tu n'as jamais réussi à retenir aucun homme.

— Et toi, tu as tout fait pour m'en empêcher, pas vrai ?

Le soir du bal de fin d'études, Zoe avait enfin trouvé le courage d'inviter à l'accompagner un garçon de son village pour qui elle avait un faible depuis toujours. Sans imaginer que Samantha se moquerait ouvertement de lui devant tout le monde, puis l'embrasserait sur la piste de danse.

56

— Dis donc, tu ne vas pas remettre cette vieille histoire sur le tapis, s'exclama sa rivale en ricanant.

— Non, d'autant que Dan n'a guère eu l'air d'apprécier tes tentatives pour le séduire, hier soir.

— Tu dois quand même savoir qu'il est *le* célibataire que tout Londres s'arrache ?

— Je comprends pourquoi.

— Il est numéro deux sur la liste Tatler

— Pourquoi pas numéro un ?

— C'est réservé à la famille royale. En tout cas, je me demande ce qu'il t'a trouvé pour rentrer dans ton jeu.

— On peut se poser la question.

Effectivement, qu'est-ce qui avait bien pu pousser cet homme superbe et si viril à l'embrasser comme si sa vie en dépendait ? Son cœur qui battait, ses mains tremblantes, et même son érection : rien de tout cela n'avait échappé à Zoe.

« J'aurais été ravi, mais… », avait-il dit juste avant que son ami Pete n'arrive. Elle aurait dû prendre en compte ce « mais » au lieu de s'enfuir. Au fond, cela n'avait peut-être pas été une façon de se débarrasser d'elle. Peut-être avait-il été sur le point de dire : « *Mais* en ce moment, je suis très occupé, alors si vous acceptiez de me donner votre numéro de téléphone, je pourrais vous rappeler. »

— S'inventer un fiancé, tu ne trouves pas ça un peu glauque ?

— Et même pathétique, reconnut Zoe. Indigne de moi.

— Dans ce cas, pourquoi… ?

— Dieu seul le sait.

— Reconnais que tu cherchais à nous impressionner, déclara Samantha en ricanant.

— Oui. Et vous avez marché.

— Si on veut…

— De toute façon, aucune importance, répondit Zoe

en se redressant. La nuit dernière, j'ai totalement perdu la tête ; je l'ai retrouvée à présent, et tout va pour le mieux. Tu sais, Samantha, pendant sept ans, tu as réussi à me pourrir la vie. C'est terminé, et peu m'importe ce que tu penses de moi aujourd'hui. Voilà quinze ans que je ne t'avais pas vue, et je doute de te revoir avant quinze ans encore. Pour moi, tu ne signifies plus rien et ce que tu peux dire ne me fait plus aucun effet. Tu n'existes plus pour moi.

Sur ce, elle raccrocha avec une intense sensation de soulagement. Son adolescence, avec ses joies et ses peines, était enfin derrière elle.

L'impression délicieuse d'avoir enfin rivé son clou à Samantha Newark dura un peu plus d'une heure. Après avoir raccroché, elle avait exécuté quelques pas de danse, en regrettant que Lily ne soit pas là pour fêter avec elle sa liberté retrouvée — aux prises avec un montage financier compliqué, elle était impossible à joindre. Puis, dans son euphorie, elle avait repéré une anomalie numérique et adressé deux e-mails à des clients alors que normalement elle aurait laissé ces tâches à sa sœur, plus douée qu'elle pour le relationnel.

Mais à présent elle ne pouvait s'empêcher de revivre mentalement ce fameux coup de fil, surtout le moment où Samantha avait prétendu qu'elle était incapable de retenir un homme. Consciemment ou non, celle-ci avait mis le doigt sur un de ses points faibles — et pas seulement en ravivant le souvenir du fiasco de ses dix-sept ans. Même si Zoe avait du mal à l'admettre, cette garce avait raison : elle avait perdu espoir de jamais retenir un homme, et ce constat était un peu dur à assumer.

Sa dernière tentative s'était terminée quand Mike l'avait plaquée, six semaines plus tôt. Pourquoi s'acharnait-elle encore à se lancer dans ce type de relation ? Mystère. Sans doute son optimisme congénital lui soufflait-il inlassablement que, cette fois-ci, ce serait différent. Que ce mâle-ci serait assez fort pour s'accommoder de ses petites manies, de ses peurs, et assez intéressant et attirant pour qu'elle puisse elle aussi supporter les siennes. Ce qui n'était absolument pas le cas de Mike, même s'ils avaient mis trop longtemps l'un et l'autre à s'en apercevoir.

Ecœurée par son manque de réussite dans les rencontres en ligne, Zoe avait jeté l'éponge et tenté d'oublier cette dernière expérience terriblement humiliante. Hélas, la pique finale que lui avait décochée Mike s'était gravée dans sa mémoire. Quelques instants avant de lever les bras au ciel en déclarant qu'il quittait le navire, il l'avait traitée de « droguée au travail », de « bouffeuse de chiffres assommante et sans imagination, aussi excitante qu'une méduse ». Alors qu'elle-même trouvait que pour une fois les choses ne se passaient *pas trop mal* avec un homme.

Cette blessure narcissique s'était agrandie quand elle avait raconté la scène à sa sœur et que celle-ci lui avait répondu que Mike n'avait pas tort à cent pour cent, qu'elle pourrait peut-être avoir une vie en dehors de son travail. Cela lui avait fait presque plus mal que les paroles de son ex. Ensuite, Lily lui avait conseillé de se trouver une autre activité, un loisir. Un loisir ? Comment aurait-elle trouvé le temps ? D'ailleurs, la seule activité qui l'intéressait vraiment était l'analyse statistique, ce qui était bien commode puisque cela constituait l'essentiel de son travail. Et puis, si Lily était la reine de la créativité et du relationnel, il était vital, compte tenu des faiblesses de sa sœur en informatique, qu'elle-même se donne à fond. Avec un haussement d'épaules, elle avait donc décidé de ne pas tenir compte des critiques de

Lily, ni de celles de Mike, qui, s'était-elle répété sans relâche, avait exagéré.

A sa grande frustration, cela s'était révélé plus facile à décréter qu'à faire. Plus d'une fois au long de ces dernières semaines elle s'était prise à ruminer les reproches de son ex et de sa sœur, à analyser sa vie sous un angle nouveau en se demandant si tous deux n'étaient pas dans le vrai...

Car comment nier qu'elle consacrait tout son temps à son entreprise ? Si, au départ, cela avait vraiment été une question de survie, désormais, compte tenu de leur succès, elle aurait pu lever le pied. Or travailler était devenu une habitude si enracinée que Zoe considérait comme normale cette vie d'ermite. Combien de fois Mike avait-il tenté de l'emmener dîner ou faire la fête ? Quand elle n'avait pas refusé, elle y avait mis beaucoup de mauvaise grâce et, une fois embarquée, s'était murée dans le silence. Avec le recul, elle ne pouvait pas entièrement blâmer son ex d'avoir préféré jeter l'éponge.

Peut-être son incapacité à retenir un homme était-elle entièrement sa faute, se dit-elle en avalant une gorgée de café froid qui la fit grimacer. Peut-être les persécutions qu'elle avait subies au lycée avaient-elles détruit sa confiance au point que dans son inconscient toute relation était d'avance vouée à l'échec. Les statistiques relatives aux divorces ne pouvaient que la conforter dans ses certitudes ; mais, en réalité, n'avait-elle pas plutôt peur que les hommes découvrent, si elle baissait la garde, les faiblesses dissimulées sous sa froide apparence de femme d'affaires ?

Zoe soupira et se leva de son bureau pour se refaire du café. Si le désastre de sa vie amoureuse était le résultat des humiliations de son adolescence et de sa peur de se mettre à nu, il lui fallait remédier au plus vite à cette situation. Pour se reconstruire et retrouver autant de confiance en elle sur le plan personnel qu'elle en avait sur le plan professionnel.

Baisser enfin la garde, se dit-elle, le cœur battant, et voir ce qui se passait. Même si la relation ne durait pas éternellement, elle en tirerait sans doute quelque satisfaction, pour changer — ne serait-ce peut-être que du plaisir sexuel.

Soudain, l'image de Dan s'imposa à son esprit, faisant courir un long frisson sur sa peau. Il aurait été le candidat idéal, lui qui paraissait si bien savoir ce que le mot plaisir voulait dire… Quand il l'avait embrassée, elle avait senti qu'au-delà de la comédie qu'il avait accepté de jouer, elle lui plaisait. Et Dan lui plaisait aussi, Zoe ne pouvait se mentir. Si un simple baiser les avait mis tous deux dans un pareil état, la suite se révélerait fabuleuse.

Se sentir désirée à ce point l'avait aidée à retrouver confiance ; quand il lui avait dit qu'elle était aussi belle qu'intelligente, elle s'était retrouvée sur un petit nuage. Sans doute un tel homme pourrait-il l'aider à libérer la vraie Zoe, murée dans ses doutes, ses peurs et sa vulnérabilité.

Dans la barre de son moteur de recherche internet, elle tapa « DBF Associates ». L'adrénaline lui enflamma le sang à la pensée que Dan Forrester accepterait peut-être de prendre du bon temps avec elle…

6.

« Maintenant ou jamais ! »

Dissimulée derrière la porte de la salle de bal de l'hôtel, le cœur battant à se rompre, Zoe aperçut Dan au centre d'un petit groupe — ses collaborateurs, sans doute — qui se dirigeait vers le bar.

Oui, c'était maintenant ou jamais mais, à présent qu'elle était sur place, elle n'était plus si sûre du stratagème qu'elle s'apprêtait à mettre en œuvre. Tout lui avait semblé beaucoup plus simple en début d'après-midi, quand elle avait décidé de se mettre sur son trente et un pour se rendre dans l'hôtel du centre de Londres où elle avait appris que Dan devait recevoir un trophée publicitaire.

Jusqu'au moment où le taxi l'avait déposée devant la porte, elle avait conservé son calme ; toutefois, à la seconde où elle avait posé les yeux sur lui, Zoe avait été envahie par un mélange redoutable de nervosité, de désir et de témérité.

Elle l'avait déjà trouvé très séduisant la veille, mais la veste noire et la chemise blanche qu'il portait ce soir accentuaient son charme ravageur — au point que son corps avait immédiatement réagi en s'échauffant de plusieurs degrés. Le costume était sûrement sur mesure et la chemise immaculée soulignait sa chevelure et ses yeux sombres. Arrivé au comptoir, il ôta d'un geste gracieux son nœud papillon et défit le bouton d'encolure, ce qui lui donna une allure plus décontractée et ajouta encore à son pouvoir de séduction.

Mais il y avait autre chose que son physique ou son apparence : ce soir, il paraissait nerveux lui aussi. Zoe le sentait traversé comme elle par une tension quasi électrique — surprenant chez quelqu'un qui venait de recevoir une récompense et d'être longuement applaudi.

Elle hésita. En le devinant aussi troublé qu'elle, elle eut la certitude de courir au désastre. D'autant que Dan se trouvait là dans un cadre professionnel, au milieu de ses collaborateurs, de ses pairs et de ses concurrents ; sans doute n'avait-il aucune envie de la voir apparaître et lui faire des avances. Peut-être ferait-elle mieux de partir discrètement et de remettre l'affaire à plus tard… A mesure que chancelait sa résolution, la voix de la raison reprenait le dessus : elle était en plein délire, Dan était très occupé, ça ne pouvait pas marcher, pourquoi aurait-il eu le moindre désir de renouer avec elle ?

Elle allait tourner les talons et abandonner lorsqu'une force venue du plus profond d'elle la figea.

Pas question de renoncer ! Son plan était parfait, et elle avait d'excellentes raisons de passer à l'acte — même si elle n'arrivait plus à se les rappeler en cet instant. Elle n'était pas une poule mouillée et elle ne gâcherait pas une occasion qui ne se représenterait peut-être jamais.

Elle releva fièrement le menton et redressa les épaules.

Dan serra les poings. Si quelqu'un le félicitait encore pour ses « fiançailles », il n'était pas certain de réussir à se contrôler. Il avait fait de son mieux pour calmer sa mère et sa sœur, au cours d'une des discussions les plus stressantes de sa vie. Il avait donné des instructions à sa secrétaire et à la réceptionniste au cas où des journalistes les solliciteraient puis avait même confié à un membre de son équipe la gestion de l'affaire dans les médias, après leur avoir fait envoyer un démenti formel — que certains avaient publié aussitôt, fort heureusement.

Pourtant, le message ne semblait pas être encore vraiment passé, et il en avait plus qu'assez d'avoir à expliquer sans cesse ce regrettable malentendu. D'autant que cela ne faisait que lui rappeler Zoe Montgomery et l'effet qu'elle produisait encore sur lui vingt-quatre heures après.

Dieu merci, il ne reverrait plus jamais cette femme qui la veille lui avait complètement fait oublier qu'il ne pouvait pas regarder une créature de sexe féminin sans que cela figure dans le journal. Malgré cette résolution, il ne parvenait pas à la chasser de son esprit ; à ce stade de distraction — ou d'obsession —, il n'avait plus envie de rire. Du tout. Surtout que tout cela arrivait justement le jour où son entreprise recevait une récompense prestigieuse pour une de ses campagnes, et où toute son équipe aurait eu envie de faire la fête.

Après le dîner et la cérémonie officielle, ses collaborateurs et lui s'étaient installés au bar, bien décidés à y terminer joyeusement la nuit. Cette année, ils avaient travaillé d'arrache-pied et méritaient leur succès, comme ils méritaient de le fêter dignement. Dan avait remis sa carte de crédit au barman et tout le monde s'était mis à trinquer dans l'euphorie du moment. Tous sauf lui.

Sentant que son staff commençait à trouver étrange de le voir se tenir ainsi à l'écart, il s'efforça de se ressaisir. Il tapota avec une petite cuillère sur le bord de son verre vide pour attirer l'attention, puis se fit un devoir de prononcer les mots que son équipe attendait. Après les applaudissements et un ou deux toasts, Dan commanda une autre bouteille de champagne. En se concentrant sur la conversation, il réussit enfin à rire et à plaisanter, et finit par réellement se détendre.

Au moment précis où il se disait qu'il ne s'en sortait pas trop mal et que dans une petite heure il pourrait rentrer discrètement chez lui pour dormir enfin, l'éclair d'une chevelure blonde et d'une robe verte traversa son champ de vision et un parfum inoubliable vint chatouiller ses narines. Ses doigts se crispèrent sur son verre, son rire mourut dans sa gorge, tout son corps réagit instantanément.

Ce ne pouvait pourtant pas être Zoe ! Qu'est-ce qu'elle aurait fait là ? Dan ferma les yeux en inspirant à pleins poumons, puis les rouvrit pour jeter un coup d'œil à la ronde, au cas où…

Pas la moindre trace de blonde en robe verte, évidemment. Commençait-il à avoir des hallucinations ? Pourtant, ce parfum… Il serra les dents en regrettant de ne pas pouvoir remonter le temps pour donner rendez-vous à Pete dans un autre pub. Les dernières vingt-quatre heures avaient emporté son existence si bien réglée dans un tourbillon de fantasmes qui lui mettait les nerfs à vif. Il n'allait pas tarder à s'imaginer que Zoe était là, à côté de lui, qu'elle lui chuchotait à l'oreille, qu'elle le prenait par le bras…

Il se figea en l'entendant prononcer son prénom en même temps que des doigts fins se posaient sur sa manche. Non, il ne délirait pas. Ses yeux et ses sens ne l'avaient pas trompé — il en fut soulagé. C'était bien Zoe Montgomery, en chair et en os.

La percevoir si près de lui fit naître un irrésistible élan de la prendre dans ses bras. Il se contint et se retourna lentement, en tentant de s'immuniser contre l'effet qu'elle ne manquerait pas de produire sur lui. Son corps désirable était moulé dans un fourreau de soie émeraude qui mettait en valeur sa peau crémeuse. Une robe magnifique, mais qu'il imagina immédiatement gisant au pied du lit, dans l'ombre de sa chambre à coucher.

Il détourna le regard, sans toutefois réussir à calmer son désir. Elle avait relevé ses cheveux en un chignon un peu lâche d'où s'échappaient quelques mèches qui lui encadraient le visage ; son maquillage assombrissait ses yeux et faisait ressortir ses lèvres pulpeuses. Elle était si terriblement sexy que Dan eut l'impression qu'elle n'aurait eu qu'à lever le petit doigt pour qu'il se jette à ses pieds et fasse tout ce qu'elle voudrait bien lui demander.

— Que faites-vous là ? chuchota-t-il.

— Je voulais vous parler.

— A quel sujet ?

— Peut-être pourrions-nous trouver un endroit plus discret ?

— Excellente idée !

Il s'assura qu'ils n'avaient pas éveillé l'attention, avant de la prendre par le bras pour la guider vers la sortie du bar. Sur la photo de leur baiser parue dans les médias, le visage de Zoe était plongé dans l'ombre ; sans cela, on les aurait déjà repérés, mais cela n'allait pas tarder. Bon sang, il ferait beaucoup mieux de la mettre dans un taxi et de l'oublier à jamais, comme il l'avait fermement décidé ! Pourtant, en traversant le hall de l'hôtel, il l'attira tout contre lui, non pas pour sortir mais à la recherche d'un coin tranquille. Il aperçut deux chaises en partie dissimulées par un énorme palmier en pot. Ils s'y installèrent l'un en face de l'autre.

— Permettez-moi de vous féliciter, fit la jeune femme.

Dan mit une seconde à comprendre qu'elle faisait allusion au prix décroché par son agence et non au chaos dans lequel il était plongé.

— Je vous remercie. Alors, que venez-vous faire ici ?

— Vous n'avez pas pris mes appels, et quand je suis

passée à votre bureau, tout à l'heure, la réceptionniste m'a dit que vous ne receviez aucun visiteur.

— Comment avez-vous appris où j'étais ?

C'est elle qui me l'a dit.

Dan fronça les sourcils. Ce matin, sa réceptionniste lui avait adressé un petit sourire mutin en murmurant une phrase indistincte où il n'était pas certain d'avoir reconnu le mot « fiançailles ». Dès lundi, elle allait devoir s'expliquer.

— Il ne faut pas lui en tenir rigueur, dit Zoe, qui semblait lire dans ses pensées avec une facilité alarmante. Je me suis montrée très convaincante.

— J'en suis certain, répliqua-t-il sèchement. Comment se fait-il que je ne vous aie pas croisée plus tôt dans la soirée ?

— Je viens d'arriver et je ne figure pas vraiment sur la liste des invités — rassurez-vous, ce n'est pas dans mes habitudes de jouer les pique-assiette.

— Je suis très flatté. Vous cultivez d'autres talents du même genre ?

Elle leva vers lui ses yeux sombres, et son corps réagit aussitôt de façon plutôt gênante — heureusement qu'il était assis… Zoe sourit d'un air entendu, comme si elle savait l'effet qu'elle produisait sur lui.

— C'est possible, murmura-t-elle.

Il croisa fermement les mains, peut-être pour s'empêcher de les tendre vers elle.

— Vous avez entendu dire que nos « fiançailles » étaient rompues, n'est-ce pas ? lança-t-il.

— Oui. Samantha m'a appelée ce matin pour me communiquer cette information.

— Vous n'aviez pas reçu mon message téléphonique ?

— Non. Quand je travaille, je ne réponds jamais au téléphone. D'habitude, c'est ma sœur Lily qui s'en occupe. Samantha a appelé sur la ligne professionnelle et ma sœur n'était pas là.

— Désolé que vous l'ayez appris par cette peste.

— Vous n'avez pas à vous excuser. C'est moi qui devrais vous remercier.

— De quoi ?

— J'ai suivi votre conseil et je lui ai tout raconté.

— Ah bon ? s'étonna Dan, admiratif cependant. Et elle l'a pris comment ?

— Je ne me suis pas suffisamment attardée pour le savoir.

— Et vous, qu'avez-vous ressenti ?

— Une merveilleuse impression de soulagement ! Effectivement, elle était rayonnante.

— Vous êtes superbe, ne put-il s'empêcher de la complimenter.

— Merci. Vous aussi.

Ils se contemplèrent un moment avant que leurs regards ne s'imbriquent. Zoe cilla. Tout son corps pulsait délicieusement. Dan se pencha vers elle.

— Zoe, que cherchez-vous au juste ? demanda-t-il en se frottant nerveusement la joue.

— Eh bien, le fait est que… j'ai envie de vous.

Dan en resta bouche bée quelques secondes, éberlué par cette déclaration inattendue.

— Envie de moi ? Mais… pourquoi ?

Son cerveau fut envahi par un flot d'images qu'il eut du mal à chasser. Son érection se tendit presque douloureusement.

— Pour le plaisir.

— Le plaisir ? répéta-t-il.

— Oui, le sexe.

— Avec moi ? bredouilla Dan, conscient qu'il lui fallait reprendre une contenance.

— Oui.

— Et rien d'autre que le sexe ? Pourtant, vous n'avez pas l'air du genre facile.

— Je ne le suis pas ; ou plutôt, je ne l'*étais* pas. C'est d'ailleurs bien le problème.

— Pourquoi ?

— Jusqu'à présent, je me suis entièrement consacrée à mon travail. Il faut que j'arrête avant d'être totalement fossilisée. Je n'ai jamais connu le septième ciel.

— Je ne vois pas ce qui vous fait penser que je pourrais vous y emmener, répliqua-t-il, estomaqué par tant de franchise.

Cet homme était-il stupide ? se demanda Zoe, stupéfaite.

— Oubliez ce que je viens de vous dire, reprit-il. C'était idiot. Vous me dites que vous n'avez jamais vécu une expérience sexuelle qui vous ait satisfaite ?

— Je n'ai sans doute pas eu de chance, dit-elle en haussant les épaules, les joues rouges.

Dan se dit que ce n'était pas tout à fait aussi simple qu'elle le prétendait, mais il était hors d'état d'engager une conversation sur ce sujet trop personnel. Ses pensées n'avaient plus qu'un objet : cette femme superbe, qu'il avait été si déçu de voir prendre la fuite la veille.

— Alors, que décidez-vous ? demanda-t-elle.

Sa bouche se dessécha et son pouls s'accéléra, tandis que son esprit s'efforçait de chasser l'image de Zoe nue. S'ils s'échappaient par-derrière et s'engouffraient dans un taxi, qui s'en apercevrait ? Il n'avait pas fait l'amour depuis si longtemps…

— Vous y tenez vraiment ?

— Oui, si vous êtes d'accord.

— Très bien.

— J'espérais bien que vous diriez oui, dit-elle en lui adressant un sourire coquin.

Le cœur de Dan se mit à battre plus vite, et une onde de désir lui traversa le corps. Il se leva et tendit la main à Zoe :

— Dans ce cas, si vous veniez avec moi ?

7.

Quand Dan avait pris une décision, il ne traînait pas, se dit Zoe en s'installant sur la banquette. Sans même dire au revoir à ses collaborateurs, il avait récupéré leurs manteaux au vestiaire, l'avait poussée dans un taxi et avait donné l'adresse au chauffeur. Heureusement car après cet échange brûlant elle avait craint de ne pouvoir se maîtriser plus longtemps. Elle aurait juré que Dan se trouvait dans les mêmes dispositions. Au point qu'elle s'attendait presque à ce qu'à peine embarqué il se précipite sur elle.

Mais il avait détourné la tête pour regarder par la vitre sans souffler mot, et elle se demandait vraiment à quoi il pensait en ce moment.

Normalement, elle n'était pas gênée par le silence, bien au contraire. Mais ce silence-là était si vibrant de tension qu'elle avait l'impression d'être assise sur des braises. Le désir qui emplissait tout l'habitacle la faisait frémir et lui nouait l'estomac. Une véritable torture, qui devenait de plus en plus douloureuse.

N'y tenant plus, elle se tourna vers Dan :

— Savez-vous que la première ligne blanche a été tracée dans cette rue en 1921 ? demanda-t-elle d'une voix qui, dans l'obscurité du taxi, lui parut beaucoup trop sonore.

— Pardon ?

— Une simple ligne blanche sauve huit fois plus de vies qu'un radar.

— Vraiment ?

— Les statistiques le prouvent. Des files matérialisées sur la chaussée peuvent réduire de vingt pour cent les accidents sur certaines portions de route.

— Intéressant, lança-t-il d'un ton convaincu.

— Je trouve ça fascinant. D'ailleurs, toutes les analyses statistiques me fascinent.

— Je peux comprendre cette passion.

Il n'avait pas bougé d'un pouce et, les bras croisés, continuait à regarder dehors en crispant les mâchoires. Regrettait-il de ramener chez lui une femme qui ne brillait pas par sa conversation ? Peut-être, mais Zoe n'était pas prête à se déclarer vaincue sans même avoir combattu. Comment éveiller enfin son intérêt et le forcer à tourner la tête vers elle ? Soudain une affiche attira son attention.

— Tenez, par exemple, la lingerie…

— La lingerie ?

— Oui, la lingerie féminine…

Dan eut soudain l'impression de respirer plus vite.

— Eh bien ? murmura-t-il.

— Lorsqu'un homme achète de la lingerie à une femme, dans soixante-dix pour cent des cas il choisit un modèle en dentelle rouge, avec des rubans partout et des trous à des endroits bizarres, alors que quatre-vingt-dix pour cent des femmes optent pour du noir ou du blanc. Au fond des tiroirs, on trouve beaucoup de lingerie inutilisée, et beaucoup de femmes déçues au fond des lits… Voilà un angle intéressant pour une campagne publicitaire, non ?

— J'y penserai.

— Evidemment, cinq pour cent des femmes ne seraient pas concernées.

— Pourquoi ?

— Parce qu'elles ne portent pas de lingerie.

— Elles n'ont pas peur de prendre froid ? ironisa Dan.

— Les statistiques ne le disent pas, répondit-elle sur le même ton.

Elle tira sur l'ourlet de sa robe, ce qui ne manqua pas d'attirer l'attention de Dan, mais également celle du chauffeur de taxi qui émit un petit son étranglé.

Dans le silence qui suivit, Zoe entendit son compagnon inspirer lentement, profondément. Son regard s'attarda sur ses cuisses avant de remonter vers son visage. Elle y lut un tel désir que sa propre respiration s'accéléra et que son corps fondit littéralement.

En définitive, il ne semblait pas regretter sa décision…

— Et vous, risquez-vous d'attraper froid ? s'enquit-il avec une drôle d'étincelle dans les prunelles.

— Vous auriez envie de me réchauffer ? répliqua-t-elle d'un ton canaille.

— Pourquoi pas ?

— Alors qu'attendez-vous ?

Il jeta un bref regard au chauffeur avant de se tourner vers elle.

— D'être dans un lieu plus intime.

— Quel rabat-joie !

— Pas du tout, déclara-t-il en souriant. Nous sommes arrivés.

Le taxi venait de s'arrêter à l'extrémité d'une rue bordée de charmantes maisons géorgiennes. Tandis que Dan payait le chauffeur, Zoe se sentit si faible qu'elle dut s'appuyer à la portière pour sortir de la voiture. Dan lui prit la main, la poussa vers le trottoir et lui fit monter les trois marches du perron. Après avoir déverrouillé la porte, il la referma derrière eux sur les bruits de la rue et le froid ; la douillette tiédeur du hall les enveloppa.

Le pouls de Zoe et sa respiration s'accélérèrent encore.

Dan la prit dans ses bras pour l'attirer à lui. Elle noua les bras autour de son cou et leva le visage au moment même où il baissait la tête. Leurs bouches se joignirent. Quand il glissa la langue entre ses lèvres, un flot de désir submergea Zoe, tel un raz-de-marée rompant une digue.

D'une main habile, Dan la débarrassa de son manteau, tout en la prenant par les cheveux pour l'embrasser plus profondément encore. Elle gémit en sentant son érection contre son ventre et se cabra. Avec un cri étranglé, il la plaqua contre la porte d'entrée, lui prit la tête à deux mains et écarta son visage du sien. Elle retint son souffle, le cœur affolé. La bouche de Dan se posa sur sa joue et descendit lentement vers son cou.

— Toutes ces histoires de lignes blanches, pourquoi ? murmura-t-il contre son oreille.

— Ces histoires de lignes blanches, répondit-elle d'une voix rauque, les yeux clos, la tête renversée pour mieux lui offrir ses seins. C'était pour faire diversion.

— Je n'ai rien contre la signalétique, mais la lingerie me motive davantage. Et même l'absence de lingerie. Voilà un sujet totalement fascinant. Donc, cinq pour cent de femmes, d'après toi…

— Peut-être ai-je exagéré un peu.

— Toi, une statisticienne ? Je n'en crois pas mes oreilles.

— Tu ne sais donc pas que quatre-vingt-six pour cent des statistiques sont erronées ? haleta Zoe.

— Ah bon ? fit-il en la prenant par la taille. Dans ce cas, je ferais peut-être mieux de vérifier moi-même ce qu'il en est au sujet de la lingerie.

— Cela ne me semble pas une mauvaise idée.

— J'ai des tas d'excellentes idées, dit-il en plongeant le regard dans le sien.

Lorsqu'il lui effleura le dos à la recherche d'une fermeture Eclair, elle fut parcourue d'un long frisson.

— Tu as froid ? demanda-t-il en commençant à faire descendre la glissière.

— Pas du tout. Je suis brûlante.

Sa robe glissa à ses pieds.

— Ça va mieux ?

— Pas vraiment…

Elle se tenait devant lui, vêtue d'un soutien-gorge bustier et d'une culotte blancs, de bas noirs, d'escarpins et d'un collier de perles.

— Donc, tu ne fais pas partie des cinq pour cent.

— Tu es déçu ?

— Pas vraiment. Disons plutôt que je suis surpris. Agréablement.

Il se tut soudain, et Zoe se dit qu'elle pourrait en profiter pour l'aider à se débarrasser de ses vêtements. A peine le manteau de Dan et sa veste eurent-ils rejoint sa robe sur le sol qu'elle s'attaqua aux boutons de sa chemise. Ses mains tremblaient si fort qu'elle mit un siècle à accomplir sa tâche. Quand elle en fut enfin venue à bout et que son regard se posa sur le torse de Dan, elle se dit que Michel-Ange lui-même n'aurait pu imaginer mieux…

Rien d'excessif dans sa musculature d'une merveilleuse fermeté. Une peau hâlée, douce, couverte d'une toison légère. Incapable de résister, en proie à une merveilleuse impression de puissance et d'émerveillement, Zoe y posa les doigts. Fascinée, elle laissa ses mains descendre vers le pantalon, dont elle défit le bouton et baissa la fermeture avant d'y plonger la main. Elle referma les doigts sur le sexe tendu de Dan. En l'imaginant en elle, elle ressentit un désir si puissant qu'elle laissa échapper un gémissement.

— Allons dans la chambre, haleta Dan en lui prenant le poignet pour faire cesser ses caresses.

— Non.

Elle avait trop envie qu'il la prenne là, immédiatement. Sinon, elle allait exploser de frustration.

— Si, la contredit-il

— Pourquoi ?

— Les préservatifs.

— Tu as raison.

Il fit glisser son pantalon ; Zoe se débarrassa de ses escarpins et prit la main qu'il lui tendait. Puis elle le suivit dans l'escalier, qu'elle eut du mal à gravir tant ses jambes flageolaient. Il la conduisit à la chambre, dont il referma la porte du pied.

Les yeux toujours rivés aux siens, Zoe ne vit rien de la pièce. Seul Dan comptait. Il la fit reculer jusqu'au bord du lit, sur lequel il la poussa doucement. Il se débarrassa de ses sous-vêtements, fouilla dans un tiroir et en tira un préservatif qu'il se hâta d'enfiler. Zoe pressentait qu'elle allait vivre un merveilleux moment de plaisir.

Dan s'allongea sur elle et posa la bouche sur la sienne dans un baiser qui la laissa pantelante dans un feu d'artifice de sensations. Roulant sur le dos, il la fit passer au-dessus de lui. Elle vibrait d'impatience. En le voyant défaire son soutien-gorge et l'écarter sans ménagement, elle gémit. Quand il saisit ses fesses, elle sentit contre ses seins la caresse de ses cheveux. Lentement, il fit glisser sa culotte le long de ses cuisses et de ses jambes. Puis il lui ôta ses bas, tout aussi lentement. Alors, le désir de Zoe se fit trop impérieux pour supporter une seconde de plus pareille torture. Prenant Dan par le cou d'une main, elle le força à s'asseoir. Elle s'empara de son sexe dressé et le fit glisser en elle avant de nouer les jambes autour de sa taille. Alors, elle se laissa aller contre lui, jouissant enfin de son érection qui l'emplissait tout entière.

Tendu, les dents serrées, Dan restait immobile, sans qu'elle sache s'il luttait pour se maîtriser ou avait été choqué par la hardiesse de son geste. Comme elle n'avait nulle intention de le questionner, elle se mit à l'embrasser dans le cou. Puis elle glissa la langue dans sa bouche en ondulant des hanches et le sentit s'enfoncer en elle plus profondément.

Son amant sembla soudain s'éveiller. Il la prit d'une main par la nuque et de l'autre par le bas du dos pour la faire rouler sous lui. Une fois au-dessus d'elle, il plongea dans le sien son regard étincelant de désir et commença à bouger lentement. Sa puissance et sa force provoquèrent au creux de ses reins une onde de plaisir si aigu que Zoe poussa un long gémissement et s'agrippa aux bras musclés de Dan. Des vagues de volupté de plus en plus fortes et de plus en plus rapprochées déferlèrent en elle.

Leur étreinte se fit plus dure, plus profonde encore, les mouvements de Dan plus rapides. Son corps palpita autour de lui tandis qu'elle atteignait un orgasme foudroyant. Son amant baissa alors la tête pour l'embrasser et s'abandonna au plus profond d'elle.

Durant un long moment, il n'y eut pas d'autre bruit dans la chambre que celui de leurs souffles, d'abord haletants puis plus calmes, apaisés.

— C'est encore mieux que le ski en Italie, déclara enfin Zoe une fois qu'elle eut recouvré l'usage de la parole.

— Oui, cela dépasse mes espérances, reconnut Dan en s'écartant d'elle.

Se soulevant sur un coude, elle le scruta d'un air interrogateur.

— Tu avais donc des espérances. Depuis quand ?

— Depuis que j'ai rêvé de toi, la nuit dernière.

— Et qu'est-ce que je faisais dans ton rêve ?

— Ce que tu viens de faire. Avec quelques variantes.

Elle sourit et s'étira avant de se carrer contre les oreillers.

— Moi, j'ai rêvé de brocolis.

— De brocolis ? répéta-t-il, surpris.

— Oui. Un brocoli géant se dirigeait vers moi en chantant : « Mange-moi. » Je dois manquer de fer.

Zoe fit la grimace, regrettant d'avoir parlé trop vite. Elle se serait giflée. Elle était beaucoup trop terre-à-terre, évidemment. Après pareille apothéose, tout ce qu'elle trouvait à dire, c'était une banalité. Même si elle avait teinté sa remarque d'ironie, c'était à désespérer !

— Si tu préfères me renvoyer chez moi, ce n'est pas moi qui te le reprocherai, dit-elle d'une voix contrite.

— Il n'en est pas question !

— Réellement ?

— J'aimerais que tu passes la nuit ici.

Un large sourire illumina le visage de Zoe.

— Ça me plairait bien, à moi aussi.

8.

Quelle nuit ! se dit Zoe en émergeant des brumes du sommeil avant de s'étirer avec délice dans l'agréable tiédeur de la couette. Et quelle matinée !

Elle se frotta les yeux en souriant pour chasser les derniers vestiges de la nuit et sentit que son sourire était si satisfait, si bienheureux qu'elle fut soulagée que personne ne soit là pour l'observer.

Le plaisir qu'elle avait connu dépassait ses fantasmes les plus fous ; même sans avoir beaucoup d'expérience, elle était certaine que peu de femmes avaient eu tant d'orgasmes en une seule nuit et crié comme elle à en être enrouées. Quant à son corps, il lui faisait mal à des endroits dont elle avait jusque-là ignoré l'existence : des muscles dont elle avait l'impression qu'elle ne les avait jamais utilisés par exemple. Même si elle s'était trouvée bien plus souple qu'elle ne l'aurait imaginé.

— Bonjour, murmura une voix rauque à côté d'elle.

— Bonjour.

Dan se tourna vers elle, faisant jouer dans le mouvement sa merveilleuse musculature lorsqu'il prit sa montre posée sur la table de nuit.

— 11 h 30.

— Moi qui me réveille toujours avant 7 heures ! Il faut dire que j'ai rarement passé une nuit comme celle-là…

Il reposa sa montre et roula sur le côté.

— Comment te sens-tu ? demanda-t-il en lui souriant.

— Merveilleusement bien, mais épuisée et un peu endolorie.

— Moi aussi.

Il se pencha pour l'embrasser, éveillant immédiatement en elle une bouffée de désir brûlant. Un baiser paresseux et interminable qui balaya ses courbatures plus vite qu'un bain chaud. Comme si tout son corps se mettait à fondre.

— Et maintenant ? demanda-t-elle dans un souffle, redoutant qu'il ne lui dise qu'il était temps qu'elle rentre chez elle alors qu'elle ne se sentait même pas en état de marcher.

— Maintenant ? Je pourrais peut-être faire du café ?

— Excellente idée. Et après ?

— Que dirais-tu d'un brunch ?

Surjouant l'exaspération, elle lui donna une petite tape sur le bras.

— Inutile de faire l'innocent, tu as parfaitement compris ce que je voulais dire. Si on recommençait ?

Elle s'écarta de lui et s'assit sur le lit en remontant la couette sur sa poitrine.

— Pas tout de suite, bien sûr, poursuivit-elle. Un peu plus tard.

— Je n'ai rien contre, lui dit-il d'un air soudain plus sérieux, mais il y a une chose qu'il faut que tu saches.

A la gravité de son ton, Zoe pâlit. Que pouvait-il bien avoir à lui révéler ? Il n'était pas marié, pas plus qu'il n'avait pas de liaison régulière. Il le lui avait dit.

— De quoi s'agit-il ?

— Je me suis fixé une règle. Une règle de trois.

Elle fronça les sourcils, s'attendant au pire.

— Jamais je ne sors plus de trois fois avec la même femme, et en toute discrétion.

Elle avait donc eu raison de s'inquiéter…

— Pourquoi ?

— Je ne tiens pas à voir ma vie privée étalée de nouveau au grand jour.

— Ce n'est pas mon genre.

— Je le sais bien, Mais c'est la règle que je me suis fixée.

— Et ce n'est pas négociable ?

— Non.

— Je vois…

— Je comprends que ça ne te plaise pas.

Sans trop savoir encore ce qu'elle en pensait vraiment, Zoe se dit qu'elle ne pouvait pas blâmer Dan de se montrer si prudent. Même si elle jugeait un peu déloyal de l'en avertir seulement maintenant qu'elle était bien ferrée…

— C'est un peu tard pour me l'annoncer, tu ne trouves pas ?

— Désolé. Je sais que j'aurais dû t'en parler hier soir, mais j'avais un peu perdu la tête, comme tu as pu t'en apercevoir.

— Je devrais m'en sentir flattée. Mais pourquoi trois fois et pas deux, ou quatre ?

— Je n'en sais rien.

Son air ingénu ne la convainquit pas complètement.

— Moi, je vais te le dire. En trois rendez-vous, on n'a pas le temps d'échanger beaucoup sur la vie personnelle ni de créer une relation d'intimité, mais c'est suffisant pour que l'expérience sexuelle soit satisfaisante.

— Tu présentes l'affaire sous un angle un peu mesquin, constata-t-il sans protester pour autant.

— C'est toi qui as fait ce choix, pas moi. Et ça marche ?

— Pas si bien que j'aurais pu l'espérer, reconnut-il avec un sourire contraint.

— Tu veux dire que les femmes ne courent pas après ce genre de relation ? Comme c'est étonnant ! ironisa-t-elle.

— Et toi, c'est dans tes habitudes ?

— Non. Je dois reconnaître que j'ai fait une exception. Mais, si tu as tellement peur des fuites, pourquoi ne fais-tu pas signer à tes maîtresses un contrat de confidentialité ?

Il la dévisagea comme si cette idée ne lui était jamais encore venue à l'esprit.

— Toi, par exemple, tu accepterais de signer un tel contrat ?

— Bien sûr ! Même si personne ne croirait que toi et moi avons une liaison, j'en suis certaine.

— Et pourquoi pas ?

— Parce que tu es une sorte de dieu et que, moi, je ne suis qu'une femme ordinaire.

— La nuit dernière, tu t'es souvent comportée comme une déesse, glissa-t-il avec un sourire lascif.

— Parce que tu as su m'encourager.

Des souvenirs de leurs exploits lui revinrent en tête — à Dan aussi sans doute à en croire le long silence qui suivit.

— Tu as lu l'article ? finit-il par demander.

Elle s'arracha à ses charmants souvenirs érotiques.

— L'article ?

— A notre sujet. Celui qui est paru hier.

Il chercha sur internet et lui tendit son téléphone.

— Regarde.

Zoe commença à lire, la gorge serrée. D'abord, il était question de leurs fiançailles dans des termes mélodramatiques qui n'avaient rien à voir avec la réalité. Suivait un paragraphe qui la décrivait comme une femme ennuyeuse et totalement insignifiante. Mais il était surtout question de Dan. Interminablement. De sa réussite dans la pub, de son élection comme célibataire le plus prisé de Londres, des mannequins ou comédiennes au bras desquelles on l'avait vu — il y en avait beaucoup…

— Je comprends que tu aies préféré nier, dit-elle en lui rendant l'appareil.

— Je n'avais pas le choix.

— Bien sûr. Mais qui aurait pu croire une chose pareille ? Casanova en personne fiancé à une petite statisticienne ennuyeuse comme la pluie !

— Dis donc, tes copines ont vraiment détruit toute ta confiance en toi !

— De qui parles-tu ?

— De Samantha-la-Peste et de sa troupe.

— Oui, peut-être, acquiesça-t-elle avec un haussement d'épaules.

— « Peut-être » seulement ?

— J'ai sans doute un petit problème du côté de l'estime de soi, mais je gère.

— Si tu le dis… Ce que je ne comprends pas, reprit-il en s'adossant aux oreillers, les mains derrière la nuque, c'est pourquoi elles t'ont prise pour cible. Toi, précisément.

Distraite par ce changement de position qui mettait en valeur les larges épaules et le torse puissant de son amant, Zoe finit par détourner le regard et fixer Dan droit dans les yeux.

— Pourquoi pas moi ?

— Parce que tu n'es pas du genre à te laisser faire.

— Tu ne me connais que depuis quarante-huit heures.

— Justement, j'ai envie d'en savoir davantage à ton sujet.

— Pourquoi ? Je croyais que ta fameuse règle de trois était précisément destinée à éviter toute relation trop personnelle.

— J'aimerais comprendre ce qui s'est joué jeudi soir.

Zoe prit le temps de réfléchir. Sans doute lui devait-elle

une explication. Après tout, il l'avait merveilleusement aidée.

— D'accord. Eh bien, disons que je ne me suis jamais vraiment adaptée.

— Au lycée ?

— Au lycée ni ailleurs. D'aussi loin que je me souvienne, je n'ai jamais bien su comment les gens fonctionnaient. Déjà à l'école primaire, dans la cour, il y avait des petits groupes, mais je ne comprenais pas ce qui se passait, je ne voyais pas ce qu'il fallait faire. Alors je restais à l'écart et je n'étais jamais invitée aux fêtes ni aux anniversaires.

— Tu en souffrais ?

— Un peu, mais surtout parce que je ne comprenais pas comment il aurait fallu que je me comporte pour être intégrée.

— Et au lycée ?

— La situation a empiré, bien évidemment.

— Pourquoi « bien évidemment » ?

— Parce que me laisser à l'écart était instinctif de la part des autres mômes. Avec l'adolescence, cela a pris une tournure délibérée, surtout chez ces hyènes. J'aurais donné n'importe quoi pour qu'elles ne me remarquent pas. Mais j'étais nulle en théâtre, nulle en musique, nulle en sport, alors que c'étaient les seules disciplines qui les intéressaient. Moi, ce qui me plaisait, c'étaient les chiffres. C'est là que je brillais. On peut même dire qu'ils m'obsédaient. Tout le monde me trouvait bizarre.

— Je ne te trouve pas bizarre.

— Sans doute, mais tu n'es pas une gamine guidée par ses hormones qui ne pense qu'à se maquiller, à embrasser les garçons et méprise les intellos.

— Personnellement, je n'ai rien contre les filles qui aiment embrasser les garçons, dit-il en fixant les lèvres de Zoe.

— Moi non plus. Maintenant. Mais, à l'époque du pensionnat Sainte-Catherine, les flirts n'étaient pas ma tasse de thé.

— Donc ça s'est mal passé ?

— Très mal.

— Et tu n'as rien pu faire ?

— Une fois, j'ai vu rouge et j'ai foncé sur une fille, au hasard. Je l'ai frappée au menton, et elle s'est assommée en tombant. Malheureusement, c'était Samantha.

— Elle est allée se plaindre ?

— Pour qu'on lui demande comment j'en étais arrivée à agir ainsi ? Sûrement pas. Elle était trop maline pour ça. Elle m'a forcée à avaler une bouteille d'ouzo qu'elle avait rapportée de ses vacances en Grèce, et je me suis fait virer. Parfois, j'ai l'impression de sentir encore ce goût dans ma bouche. Heureusement, à cette époque, YouTube n'existait pas encore.

— Je regrette de ne pas avoir su tout ça jeudi dernier.

— Pourquoi ?

— Je n'aurais pas mis de gants avec ces saletés !

En voyant briller dans les yeux de Dan un éclair farouche, une douce chaleur réconforta Zoe.

— Toutes ces persécutions ont sans doute émoussé ma confiance en moi mais, toi, tu auras beaucoup fait pour la restaurer.

— Accepte la règle de trois, et je m'emploierai à faire mieux encore.

Zoe se mordilla la lèvre. Trois fois à peine. Humm… Ce n'est pas l'envie de recommencer à faire l'amour avec Dan qui lui manquait, mais aurait-elle la force de le quitter après trois nuits ? Ce serait rude. D'un autre côté, elle se sentait incapable de partir maintenant.

— D'accord.

Une bouffée brûlante de désir la traversa aussitôt.

— Parfait. Ce soir sera donc notre premier rendez-vous.

— La nuit dernière ne compte pas ?

— Non, puisque tu n'étais pas au courant de la règle.

— Tu es très généreux.

— A ce soir, donc ?

— Très bien.

— Vraiment ? Tu ne préfères pas jeudi prochain entre 6 et 7, parce que la semaine prochaine tu es absolument débordée ? la taquina-t-il.

— Je ne joue pas à ce petit jeu-là.

— Dans ce cas, à quel jeu joues-tu ? demanda-t-il avec une drôle d'étincelle dans le regard.

— Fais-moi d'abord déjeuner, et je te l'expliquerai ensuite.

Leur troisième rendez-vous était arrivé bien trop vite au gré de Dan, et il touchait à présent à sa fin. Il avait fixé cette règle pour se garder de tout risque d'intimité et de toute révélation qui pourrait intéresser la presse. Jusque-là, cela avait plutôt bien fonctionné, même si, comme l'avait relevé Zoe, la plupart des femmes avaient du mal à se plier à cette clause. Mais, bizarrement, jamais il ne se sentait rassasié de faire l'amour avec Zoe.

Et puis il souhaitait en savoir davantage sur elle. Ses commentaires concernant les persécutions qu'elle avait endurées lui avaient donné envie de l'interroger sur d'autres sujets : sa famille, son entreprise, ses amis. Il aurait voulu connaître son opinion en politique, sur les affaires en cours, savoir ce qu'elle faisait de son temps libre. Pourtant, il s'était montré si draconien sur l'application de cette fameuse règle qu'il ne pouvait se résoudre à s'en affranchir.

Il était donc tiraillé car, maintenant que le terme approchait, il commençait à se demander si Zoe n'accepterait pas de renégocier leur accord, à condition évidemment que leur liaison continue à se dérouler dans la plus grande discrétion. Cela signifiait qu'il devrait lui faire confiance et que, même si elle ne faisait aucune révélation à la presse, il risquait d'être plus vulnérable. Mais il ne pouvait quand même pas se résigner à rester seul jusqu'à la fin de sa vie !

— Nous y voilà…, murmura Zoe d'un air impénétrable en s'asseyant sur le bord du lit, prête à partir.

— Nous ne sommes pas obligés.

— Non ?

Il respira un grand coup en espérant qu'il n'était pas en train de commettre une erreur monumentale.

— Tu accepterais de signer cet accord de confidentialité dont tu m'as parlé la semaine dernière ?

Zoe le fixa, ébahie, tandis qu'il l'observait avec attention. Jamais elle ne se serait attendue à un pareil revirement tellement il s'était montré intraitable concernant cette maudite règle. Au point qu'elle s'était résignée à partir sans un regard en arrière et à enfouir le souvenir de cette semaine au plus profond de sa mémoire. Pas si profond toutefois qu'elle ne puisse revenir le visiter de temps en temps…

Et voilà qu'il lui lançait cette perche qui remettait tout en cause.

— Pourquoi ? demanda-t-elle machinalement, pour se donner le temps de réfléchir.

— Parce que je n'ai pas envie que ça finisse. Et toi ? ajouta-t-il après un bref silence.

— Je ne sais pas.

C'était la pure vérité. Au cours de leurs trois rendez-vous, ils avaient très peu parlé mais beaucoup fait l'amour. Et Zoe s'en était fort bien accommodée : cela lui avait évité de répondre à des questions qu'elle redoutait de s'entendre poser, des questions humiliantes sur son passé. Ils s'étaient également abstenus de se montrer dans des lieux où ils auraient risqué d'être repérés par un journaliste.

Pourtant, si elle continuait à voir Dan, comme il avait l'air d'en avoir envie, tout risquait de changer. Inévitablement, de temps en temps, ils auraient envie de sortir, et la presse s'intéresserait à leurs allées et venues — et à son passé. On interrogerait Samantha et ses copines, et il n'en sortirait rien de bon. Pire, elle serait détaillée et critiquée de la tête aux pieds. Elle connaissait en théorie la frénésie de tout ce cirque médiatique si impudique parfois, mais comment supporterait-elle d'en être l'objet ?

D'un autre côté, maintenant que son sublime amant lui avait fait miroiter de prolonger leur aventure, elle était prise de doutes. Après avoir longuement hésité à chercher son nom sur Google, puis fait mine de prendre à la légère ce qu'elle y avait lu, elle était dévorée par l'envie d'en savoir un peu plus. Au fond, si quelque chose de leur liaison filtrait dans les journaux, quelle importance ? Il lui suffirait de ne rien lire de cette presse qu'elle avait ignorée jusque-là.

— Mais notre relation restera purement sexuelle ? demanda-t-elle pour bien mettre les choses au point.

— Je ne vois pas comment il pourrait en être autrement.

A l'idée qu'elle puisse s'engager dans une relation plus personnelle avec un homme comme Dan, le cœur de Zoe se mit à battre plus vite.

— Très bien, répondit-elle en frémissant à la pensée du risque qu'elle prenait. Dans ce cas, pourquoi pas ?...

9.

Un mois après, Zoe avait encore du mal à réaliser qu'elle ait pu hésiter à accepter la proposition de Dan. En fait, ces quelques semaines avaient été les plus heureuses de sa vie. Plus heureuses que celles qui avaient suivi son diplôme — obtenu avec des notes excellentes — ou celles pourtant euphoriques qui l'avaient vue créer son entreprise avec sa sœur.

Au-delà d'une harmonie sexuelle qui avait dépassé ses espérances les plus folles, elle appréciait aussi leurs conversations, leurs échanges, alors qu'au départ ils n'y croyaient ni l'un ni l'autre. Sous la couette, après une séance de sexe torride, ils avaient parlé de leurs frères et sœurs, de leurs familles respectives, de leurs carrières, et jamais Dan n'avait essayé d'éluder ses questions.

Elle lui avait parlé de sa passion pour les chiffres, qui s'affichaient noir sur blanc avec une fiabilité rassurante ; de son côté, il lui avait avoué son angoisse lorsqu'il organisait une campagne de grande envergure et son regret de ne plus avoir le temps de laisser libre cours à sa créativité.

Elle lui avait exposé ses projets professionnels, il lui avait confié son intention de se porter acquéreur d'une agence américaine.

Elle lui avait touché un mot du mariage désastreux de

sa sœur ; il lui avait alors raconté que la sienne, Celia, avait très mal vécu le divorce de leurs parents.

Elle lui en avait dit un peu plus sur ses années de lycée, et il lui avait avoué à quel point les siennes avaient été dures aussi, surtout quand ses parents se livraient à d'interminables disputes.

Cependant, ils n'avaient jamais évoqué leur propre relation, ni son avenir. D'ailleurs, Zoe ne savait même pas elle-même ce qu'elle en pensait. Pour le moment, elle trouvait que tout allait pour le mieux. Sa personnalité et ses frayeurs n'avaient pas l'air d'effrayer Dan. Au contraire, elles semblaient le fasciner, et si elle n'avait pas eu un esprit si scientifique elle aurait volontiers reconnu qu'elle s'épanouissait comme une fleur grâce aux multiples attentions dont il la comblait.

Comme le stipulait leur accord, ils gardaient un profil bas et sortaient peu ; cela convenait parfaitement à la timidité de Zoe qui avait au départ redouté les intrusions de la presse dans sa vie et les jugements qu'on pourrait porter sur elle.

Sans surprise, une ou deux photos d'eux avaient circulé sur internet et dans les journaux ; mais outre qu'elles n'étaient pas très compromettantes et souvent floues, elles n'avaient guère éveillé d'intérêt. Après tout, Zoe n'était ni une star ni une célébrité.

Elle n'avait pu s'empêcher de taper « Jasmine Thomas » sur son moteur de recherche. Elle l'avait immédiatement regretté car cette femme était réellement superbe. Mais cela ne l'empêchait pas de prendre du bon temps, et elle en prévoyait pour ce soir. Le sourire aux lèvres, elle se frayait un chemin à travers la foule en direction de la station de métro. Demain, Dan devait partir pour les Etats-Unis faire le point sur le rachat de l'agence qu'il visait. Elle avait projeté de lui concocter un dîner d'adieu qui exigeait des heures de préparation et quantité d'ingrédients hors de prix. Elle avait donc quitté le travail plus tôt que d'habitude.

Elle tentait d'oublier à quel point il allait lui manquer, mais cela se révélait impossible : elle s'était trop habituée à ses appels, à ses e-mails, sans parler de ses baisers passionnés. Il continuerait à lui téléphoner et à lui envoyer des messages, mais elle allait terriblement regretter ses baisers…

Elle jura tout bas quand quelqu'un la bouscula puis replongea dans ses pensées. Comment pouvait-elle se rendre presque physiquement malade à la perspective de ne plus voir son amant pendant une malheureuse semaine ? Naturellement, sa nervosité et la nausée qui lui tordait l'estomac pouvaient avoir d'autres causes : le manque de sommeil, le fait qu'elle avait sauté le déjeuner pour pouvoir partir plus tôt, l'imminence de ses…

Zoe s'immobilisa soudain en plein milieu de la rue, paralysée par une angoisse subite, tandis qu'autour d'elle les gens l'évitaient en râlant. Cela faisait un mois qu'elle couchait avec Dan et qu'elle n'avait plus eu ses règles… Un peu plus d'un mois, en réalité, se dit-elle, le cœur battant.

Elle était donc en retard.

Un filet de sueur glissa le long de son échine ; elle eut soudain l'impression que ses vêtements la serraient affreusement et que ses jambes la lâchaient. Jamais elle n'avait envisagé la possibilité d'être enceinte, et Dan encore moins, elle en était convaincue même s'ils n'avaient jamais abordé le sujet. D'ailleurs, ils ne faisaient jamais de projets plus d'une semaine à l'avance, et l'homme qui avait imaginé la « règle de trois » n'était certainement pas du genre à faire des bonds de joie en apprenant que sa maîtresse était enceinte de ses œuvres…

Jamais Dan n'avait évoqué la perspective d'une relation à plus long terme et, chaque fois qu'il lui avait fait une confidence personnelle, il s'était arrangé pour lui rappeler leur clause de confidentialité. Ce qui prouvait bien qu'il n'était pas prêt à s'engager dans une histoire plus sérieuse. D'ailleurs, il ne lui avait présenté aucun de ses proches, famille ou amis, et n'avait pas manifesté la moindre volonté de rencontrer les siens.

Zoe s'ordonna de ne pas paniquer. Mais, s'il s'avérait qu'elle était enceinte, qu'allait-elle faire ? Avorter ? Décider de mener à terme sa grossesse alors qu'elle ne s'était jamais demandé si elle voulait des enfants ? Financièrement, cela ne lui poserait pas problème, mais sur le plan affectif il en allait tout autrement.

Et si la presse venait à l'apprendre ? Le sang se retira de son visage. Les journalistes s'en donneraient à cœur joie ! Dan serait furieux, il croirait qu'elle avait voulu le piéger et prétendrait que tout était sa faute à elle, même si ce n'était pas vrai.

Il fallait absolument qu'elle se calme et qu'elle réfléchisse pour prendre la décision la plus rationnelle. D'abord, inutile de s'affoler sans raison : ses cycles n'avaient jamais été réguliers, et avec tout le travail qu'elle avait dû fournir ces derniers temps, sans parler de sa relation si exclusive avec Dan, un retard n'avait rien d'extraordinaire. D'autant qu'ils avaient toujours pris des précautions.

Prenant son courage à deux mains, Zoe retraversa la rue en direction de la pharmacie la plus proche. Tout plutôt que de rester dans l'incertitude.

Une demi-heure plus tard, assise sur le bord de sa baignoire, elle contemplait avec un immense soulagement le testeur, sur lequel n'apparaissait qu'une simple petite ligne bleue.

*
* *

Zoe sommeillait, allongée à côté de lui. Comment avait-il pu seulement s'imaginer qu'au bout de trois rendez-vous il pourrait la quitter ? se demanda Dan en fixant le plafond. Jamais il n'aurait cru pouvoir être aussi heureux qu'il l'avait été ces dernières semaines. A son grand étonnement, il savait qu'elle allait terriblement lui manquer durant son voyage.

Au-delà de leur extraordinaire harmonie sexuelle, il s'était mis à apprécier la compagnie de cette femme drôle et très intelligente — plus que lui, il l'avait découvert en plaisantant avec elle de leurs QI respectifs. En échangeant avec elle, il l'avait trouvée de plus en plus fascinante et avait été intrigué par le contraste étrange entre son assurance professionnelle sans faille et son manque de confiance sur le plan personnel. Et puis, elle était tellement différente de toutes les femmes qu'il avait croisées jusque-là : elle ne s'accrochait pas à lui, n'exigeait rien et semblait se satisfaire de cette situation.

Certes, quand il faisait allusion à la clause de confidentialité, elle levait les yeux au ciel, mais elle ne lui avait jamais demandé de revenir sur ce contrat. Peu de femmes auraient accepté de signer un pareil engagement sans se plaindre ou sans exiger qu'il soit révisé à une date ultérieure.

Au fond, elle correspondait parfaitement à tout ce qu'il attendait d'une femme, et, même s'il ne devait rester absent qu'une semaine, l'idée de la retrouver à son retour lui semblait étonnamment rassurante. D'ailleurs, en y repensant, il aurait bien aimé se dire qu'elle serait là à l'attendre après chaque voyage. Au moins durant quelque temps...

Contrairement à ce qu'on racontait, Dan n'aurait pas eu peur de s'engager, malgré le mariage désastreux de ses parents et leur divorce cauchemardesque. En théorie du moins. Mais tout engagement supposait une confiance qu'il n'était plus à même d'accorder à quiconque depuis que Natalie l'avait trahi, tout comme récemment Jasmine et d'autres femmes entre-temps, à un degré moindre.

Pourtant, la situation actuelle ne lui semblait plus tout à fait la même. A moins que ce ne soit lui qui ait changé ? Récemment, il s'était pris à penser que, si la trousse de toilette de Zoe trouvait sa place dans sa salle de bains, cela n'aurait rien de scandaleux. Il envisageait même de laisser une brosse à dents chez elle, lui aussi.

Il se passa pensivement la main sur le visage en se demandant ce que cela signifiait. Qu'il était tombé amoureux ? Cela paraissait impossible… Mais si tel était le cas, que faire ? La dernière fois que cela lui était arrivé, il avait frôlé la catastrophe et, quand sa relation avec Natalie avait volé en éclats, il avait complètement disjoncté, au point qu'il avait failli se retrouver en prison. Tout plutôt que vivre cela une nouvelle fois.

La bouche sèche, il se leva et entra dans la salle de bains pour boire un verre d'eau. Tandis qu'il ouvrait le robinet, ses yeux tombèrent sur une boîte posée sur une étagère et son sang ne fit qu'un tour. Le cœur battant, il posa le verre et secoua la boîte d'une main tremblante. Elle était vide. Ignorant le filet de sueur froide qui ruisselait le long de son échine, il souleva le couvercle de la poubelle en respirant un grand coup avant de regarder. Elle était vide elle aussi.

Immédiatement, son cerveau fut envahi par une foule de questions : Zoe était-elle ou non enceinte ? Maintenant qu'il y repensait, depuis cinq semaines que durait leur aventure, elle n'avait pas eu ses règles — ce qui n'était pas bon signe. Quand avait-elle effectué ce test ? Quand allait-elle lui annoncer le résultat ? Si tant est qu'elle ait décidé de le mettre au courant…

Malgré la tiédeur qui régnait dans la pièce, il fut parcouru par un frisson glacé au souvenir d'un autre épisode, d'une autre femme, d'une autre grossesse. Ses genoux tremblèrent, et il dut s'appuyer au lavabo de peur de tomber.

Pourtant, le contexte n'était pas le même : Zoe n'était pas Natalie, et il n'avait plus vingt-cinq ans. Mais ces vérités s'évanouirent, cédant la place à la certitude qu'il avait perdu le contrôle d'une situation qu'il croyait parfaitement maîtriser. Pris de vertige, il crut qu'il allait vraiment tomber et dut respirer profondément à plusieurs reprises pour reprendre ses esprits. Puis il se redressa, avala le verre d'eau qu'il avait préparé et se sentit un peu mieux.

Mais trop de questions et de souvenirs continuaient à tourbillonner dans sa tête. Il lui fallait absolument relativiser, prendre le temps de mettre les choses en perspective. Il revint dans la chambre, récupéra ses vêtements et s'habilla rapidement.

— Que fais-tu ? l'interrogea Zoe d'une voix ensommeillée.

Luttant contre l'envie de revenir s'allonger à côté d'elle, il serra les dents.

— Il faut que j'y aille, murmura-t-il.

— Maintenant ? demanda-t-elle en ouvrant les yeux. Je croyais que tu devais rester chez moi jusqu'à ton départ.

— J'ai changé d'avis.

— Très bien, acquiesça-t-elle en lui adressant un petit sourire sexy qui ne fit qu'ajouter à sa confusion. Dans ce cas, bon voyage.

Zoe était désemparée, déstabilisée et frustrée. Voilà une semaine que Dan était rentré, mais il aurait aussi bien pu rester aux Etats-Unis : si son corps était bien là, son esprit était complètement ailleurs et il se montrait distant et froid.

Surtout que durant son absence il lui avait terriblement manqué. Le lendemain du jour où elle avait fait le test de grossesse, elle avait eu ses règles, comme si le départ de son amant les avait déclenchées. Non seulement elle avait dû supporter son absence, mais aussi les crampes et les nausées. Seule la perspective de le voir revenir bientôt avait pu la réconforter.

Mais depuis son retour, même s'ils s'étaient vus à plusieurs reprises, elle avait le sentiment que quelque chose n'allait pas. Il s'était mis à l'observer d'un air bizarre et impénétrable, le visage fermé, et elle éprouvait l'impression très désagréable qu'il la jugeait en permanence. Il évaluait chacun de ses gestes, ce qu'elle mangeait, ce qu'elle buvait, la façon dont elle parlait et le moindre de ses mouvements.

« Etrange. Très étrange », se dit-elle tandis qu'ils pénétraient chez lui. Elle se remémora le dîner qu'ils venaient de partager. Deux heures particulièrement déstabilisantes. Ce soir, Dan s'était comporté de façon si bizarre qu'elle s'était crue obligée, pour compenser, de parler trop vite, de sourire trop souvent et de rire trop fort. A cause de son comportement inexplicable, elle avait les nerfs à vif. Elle tenait à comprendre ce qui n'allait pas, quelle qu'en soit la raison et même si cela devait provoquer une gêne ou un conflit entre eux.

Dan n'était plus certain de pouvoir supporter longtemps cette horrible attente. Le dîner avait été épouvantable. Zoe n'avait cessé de rire et de bavarder alors qu'il n'avait qu'une chose en tête : ne ferait-elle pas mieux de s'abstenir de boire ce cocktail ? Et de manger des praires ?

Il devait faire un effort monstrueux pour garder son sang-froid, et ses idées se brouillaient dans sa tête de façon plus angoissante encore que la nuit où il avait trouvé le test de grossesse sur l'étagère de Zoe.

Les deux semaines précédentes avaient été plutôt délicates, et pas seulement à cause du travail énorme qu'il avait dû fournir en Amérique et du décalage horaire. Sans cesse il se rappelait ce qu'il s'était dit dans la salle de bains : Zoe n'était pas Natalie et, si elle avait eu quoi que ce soit à lui dire, elle l'aurait fait. Néanmoins, il était complètement submergé par l'angoisse que la même histoire ne vienne à se répéter, et il ne savait absolument pas quelle solution adopter.

— Dan ?

Il perçut une froideur inhabituelle dans la voix de Zoe et se retourna.

— Oui ?

— Il faut que nous parlions.

— Tu as raison, répondit-il, soulagé à l'idée que cette conversation puisse enfin mettre un terme à ce malaise. Allons nous installer dans la cuisine.

Zoe le suivit. Dan lui offrit une chaise avant de s'installer en face d'elle. Durant un long moment ils restèrent silencieux, comme si chacun attendait que l'autre prenne l'initiative.

— Eh bien…, finit-il par lancer, lorsque la tension lui parut insupportable.

— Eh bien quoi ? demanda Zoe, stupéfaite.

— Tu l'es ou non ?

Elle le fixa d'un air interrogateur.

— Enceinte. Tu l'es ou pas ?

— Je ne comprends pas.

— Mais si, tu m'as parfaitement compris. Inutile de faire cette tête-là. D'ailleurs, j'ai vu la boîte.

— Quand ?

— Il y a deux semaines.

— Et tu as attendu aujourd'hui pour m'en parler ? s'exclama-t-elle.

— Oui.

— Pourquoi ?

— J'espérais que tu aborderais le sujet, mais tu ne l'as pas fait.

— Pourquoi ne m'as-tu rien demandé à ce moment-là ?

Excellente question, à laquelle il ne pouvait — ou ne voulait — répondre.

— Je te le demande maintenant.

— Eh bien rassure-toi, je ne suis pas enceinte. Il n'y aura pas de bébé.

Une autre femme, une autre occasion, mais les mêmes mots, prononcés exactement de la même façon. Un étau glacial lui enserra le cœur.

— Il n'y en a plus ou il n'y en a jamais eu ?

— Il n'y en a jamais eu.

— C'est sûr ?

— Mais oui ! Comme j'avais un retard, j'ai préféré faire le test. Le jour même de ton départ, j'ai eu mes règles.

— Tant mieux.

Dan ressentait un immense soulagement, sans trop savoir s'il était rassuré qu'elle ne soit pas enceinte ou qu'elle ne lui ait pas menti.

— Qu'est-ce que ça veut dire, toutes ces complications, Dan ?

— Excuse-moi… J'ai cru…

Il se passa la main dans les cheveux avec un petit rire sans joie.

— Tu veux réellement savoir ce qui s'est passé ? reprit-il.

— Oui, répondit-elle en croisant les bras sur sa poitrine.

A la façon dont elle le regardait, il comprit que cette fois il ne trouverait pas d'échappatoire.

Dans le silence de la cuisine, on n'entendait plus que le tic-tac de la pendule. En voyant Dan assis, immobile, Zoe se dit qu'il n'était pas encore prêt à passer aux aveux. Et elle n'était pas certaine de contrôler sa propre réaction s'il se contentait de hausser les épaules et de lancer : « Il ne s'est rien passé du tout. »

Mais elle le vit hocher la tête, comme s'il acquiesçait à une voix intérieure.

— Il y a longtemps, j'ai eu une liaison, commença-t-il.

— Avec Jasmine ?

— Non, il y a huit ans. J'en avais vingt-cinq.

— Et alors ?

— Natalie s'est retrouvée enceinte.

— Et puis ?

— Elle a avorté.

Elle resta un moment silencieuse, ne sachant que dire.

— Pourquoi ? demanda-t-elle finalement.

— Un bébé aurait gêné ses projets professionnels.

A l'amertume qu'elle décela dans la voix de Dan, elle sut qu'il n'avait pas été d'accord, mais elle ne se sentait pas le droit de juger son ex.

— Ce sont des choses qui arrivent.

— Je sais, dit-il en la fixant d'un regard si inexpressif que le cœur de Zoe se serra. Mais j'aurais préféré qu'on en discute d'abord, elle et moi.

— Et elle ne l'a pas fait ? s'étonna-t-elle.

— Non. Elle a découvert sa grossesse le lendemain du jour où elle a signé un contrat avec l'agence de mannequins de ses rêves. Moi, j'étais en voyage d'affaires. Elle a préféré ne pas attendre mon retour parce que sa décision était prise. Définitivement.

— Je comprends.

Zoe ne connaissait pas toute l'histoire, et peut-être était-elle plutôt encline à être du côté de Dan, mais à son avis cette Natalie avait eu tort. Si elle avait été à sa place, cette décision, ils l'auraient prise à deux.

— Et toi, tu aurais voulu cet enfant ?

— Bizarrement, oui.

— Mais je ne vois pas quel est le rapport avec moi. Ni comment cela peut justifier ta froideur de ces derniers temps.

— Je ne le sais pas moi-même.

Son regard s'était soudain empli de doute et de confusion. Mais il y avait autre chose encore dans ses prunelles. Zoe se pencha vers lui pour le scruter de plus près. Regrets ? Honte ? Culpabilité ?

— Une minute, dit-elle en tentant de connecter mentalement les différents éléments dont elle disposait. Ces deux dernières semaines, pour toi, c'était une sorte de test, n'est-ce pas ?

— Mais non, se récria-t-il. Absolument pas ! Ne sois pas absurde.

— Alors pourquoi ne pas m'avoir posé la question au moment où tu as trouvé la boîte ? demanda-t-elle, absolument pas convaincue par ses dénégations.

Brusquement, le comportement de Dan à son égard durant la semaine précédente lui revint en tête, et toutes les pièces du puzzle se mirent en place.

— Voilà donc pourquoi tu n'arrêtais pas de me regarder de cet air suspicieux, dit-elle en hochant la tête au fur et à mesure que la situation devenait plus claire. J'avais bien l'impression que tu attendais quelque chose. Tu attendais que je me montre enfin sous mon vrai jour. Que je dévoile ma véritable personnalité.

— Que veux-tu dire ?

— Que tu me jugeais à l'aune de Natalie, d'une fille

que tu as connue huit ans plus tôt. Mais pourquoi ? Que s'est-il vraiment passé ? T'ai-je jamais donné le moindre motif de douter de moi ?

— Non. Pas encore.

— Pourquoi le ferais-je ? Si je ne t'ai pas révélé que j'avais fait un test de grossesse, c'est qu'il n'y avait rien à dire, déclara-t-elle en le fixant droit dans les yeux. Réfléchis, Dan. On se connaît depuis six semaines. Tu crois vraiment que j'aurais dû t'avertir alors qu'il était négatif ?

— Je suppose que non.

— S'il avait été positif, alors je t'aurais averti.

— Vraiment ?

— Bien sûr ! affirma-t-elle, sincère. Tu sais aussi bien que moi que rien ne justifie ta crainte. Depuis le début, je me suis toujours montrée parfaitement honnête envers toi, et je n'ai aucune intention de changer.

— J'aimerais te croire, mais je ne sais pas si j'en suis capable.

Durant un moment, Zoe ne sut que répondre.

— Elle t'a vraiment démoli à ce point-là ?

— Elle, mais aussi Jasmine et quelques autres… Avec leurs arrière-pensées et leurs manigances, elles ont complètement détruit la confiance que j'accordais aux femmes.

— Donc, tu as voulu me soumettre à un test, répéta-t-elle, persuadée d'avoir raison.

— Mais non ! Ne sois pas ridicule.

— Ridicule ? Moi ? Comme si c'était moi qui ne parvenais pas à me remettre d'une rupture vieille de huit ans ! lança-t-elle, incapable de se maîtriser plus longtemps.

— Toi, ce sont des rancœurs vieilles de quinze ans que tu n'as toujours pas réussi à dépasser ! répliqua-t-il, agressif.

— Je m'en accommode. Comme toi, tu devrais t'accommoder des tiennes. Ne serait-ce que pour éviter de me mettre à l'épreuve !

— Et moi, en toute honnêteté, tu n'as pas cherché à me mettre à l'épreuve ?

— Bien sûr que non, espèce de monstre ! lança Zoe en se levant, folle de rage. Si tu voulais avoir confiance en moi, tu en serais capable. Mais ça t'arrange de te dire que tu as le droit de ne plus avoir confiance en aucune femme après ce que tu as subi. En définitive, c'est plus pratique, pas vrai ?

— En un mot, tu prétends que je suis un lâche ?

— Exactement, acquiesça-t-elle avant de se lever.

Dan n'esquissa pas le moindre mouvement lorsqu'il la vit quitter l'appartement.

10.

Qu'est-ce que Zoe pouvait bien comprendre à tout ça ? se demanda Dan en entendant claquer la porte d'entrée. Elle, jamais personne ne lui avait arraché le cœur. Jamais personne ne lui avait dénié le droit d'être père sans la moindre discussion. Jamais quelqu'un qu'elle aimait ne l'avait trahie de cette façon. Et cette manière ridicule de lui reprocher d'avoir voulu la mettre à l'épreuve… Comme s'il jouait à ce petit jeu-là !

Pourquoi ne l'avait-il pas questionnée d'emblée sur ce test de grossesse, au lieu d'attendre qu'elle lui en parle ? Cette question le taraudait, mais il ne pouvait pas y répondre — ou peut-être ne le voulait-il pas, admit-il à contrecœur. Il tenta de se convaincre qu'il avait préféré lui donner le temps de réfléchir, de prendre elle-même la décision de lui en parler. Au fond de lui, il savait que la vérité était ailleurs et que, sous les assauts de franchise de Zoe, les faux-semblants se désintégraient peu à peu.

Oui, il devait se l'avouer, il avait bel et bien cherché à la mettre à l'épreuve. Inconsciemment, sans doute, mais il l'avait fait. Parce qu'il avait terriblement besoin de lui faire confiance.

Pourtant, il ne pouvait s'y résoudre. Pourquoi ? Etait-il si lâche ? Peut-être, se dit-il en baissant la tête, honteux de reconnaître qu'elle avait eu raison. Depuis six semaines au moins qu'ils se connaissaient, jamais elle ne lui avait fourni aucun motif de douter d'elle. Pourquoi ne s'était-il pas rendu à l'évidence, au lieu de se laisser guider par ses vieilles angoisses ?

Zoé était très différente des femmes qu'il avait connues. Honnête, franche et directe. Et d'une simplicité rafraîchissante. Elle ne jouait pas la comédie, elle ne dissimulait rien. Elle lui avait annoncé qu'elle voulait prendre du bon temps, et c'est exactement ce qu'ils avaient fait.

Depuis quelque temps déjà, il se disait qu'il ferait mieux d'en finir avec sa méfiance et son éternel cynisme vis-à-vis des femmes s'il ne voulait pas terminer sa vie tout seul. Etre incapable de faire confiance à qui que ce soit, cela prouvait seulement qu'il ne pouvait échapper à l'emprise de ses tristes expériences passées. Quelque part, elles le régentaient encore, et cette idée suffisait à lui nouer l'estomac.

Il désirait Zoé. Pour combien de temps, il n'en savait rien. Mais, s'ils devaient faire encore un bout de route ensemble, il lui fallait régler ce problème de confiance et lui présenter ses excuses, en espérant qu'elle lui pardonne sa stupidité et accepte de lui donner une seconde chance.

Tout en se mordillant les ongles, il releva la tête et son regard tomba sur le carton que lui avait envoyé son cousin pour l'inviter à son mariage. Quand il était arrivé, il avait répondu, l'avait posée sur la cheminée et n'y avait plus pensé. En général, il préférait éviter d'emmener ses conquêtes à des réunions de famille. Ne serait-ce que pour ne pas s'exposer aux plaintes de sa mère et de ses tantes concernant son éternel célibat. S'il se présentait en compagnie d'une jeune femme, à la seconde même, elles allaient toutes tirer des plans sur la comète. Mais redouter encore les commentaires des femmes de sa famille à son âge, quelle pitié ! Quand on est à la tête de l'une des plus importantes agences

de publicité du pays, qu'on dirige une équipe de collaborateurs et qu'on doit sans cesse relever des défis, on
peut supporter les spéculations de quelques vieilles
parentes, non ? Ou choisir de les ignorer. Et puis il en
avait assez de toujours se retrouver seul dans ce genre
de fêtes, et d'être l'objet de tous les commentaires et la
cible de toutes les femmes esseulées.

Donc, dès le lendemain, il demanderait à Zoe de
bien vouloir l'accompagner. Ainsi, il lui prouverait qu'il
l'appréciait et qu'il avait confiance en elle. Et surtout
qu'il n'était pas un lâche. Sans doute n'accepterait-elle
pas — depuis quelque temps, elle avait tendance à être
une vraie tête de mule —, mais il allait la travailler au
corps. A moins qu'elle n'ait réellement pas envie de
l'accompagner...

— Tu crois que tu reverras Dan un jour ? lui demanda
Lily.

Zoe haussa les épaules. La question à un million de
dollars...

— Je n'en sais vraiment rien.

Après l'horrible déconvenue de la veille, elle craignait
bien que non, même si elle espérait encore que leur
histoire n'était pas terminée. Elle avait mal dormi, se
tournant et se retournant dans son lit en se repassant en
boucle leur conversation. Elle avait maudit l'inflexible
déni de réalité de Dan, tout en se reprochant d'en avoir
trop dit alors qu'elle aurait mieux fait de se taire. Pour
qui se prenait-elle, et comment pouvait-elle connaître la
solution aux problèmes de son amant ? Elle aussi, elle
était loin d'être innocente dans cette affaire.

— Franchement, tu ferais mieux de laisser tomber,
reprit sa sœur avec un reniflement de dédain. Il a beau
être le célibataire le plus séduisant du pays, hier soir, il

s'est comporté comme un crétin. Quand je pense qu'il a pu te faire une chose pareille, à toi qui es la loyauté même ! Il doit traîner une valise de problèmes que tu n'as pas fini de régler si tu restes avec lui.

— Sans doute, mais il a peut-être de bonnes raisons de se comporter ainsi.

— Et la meilleure de toutes : c'est un homme, déclara Lily sur un ton méprisant. Egocentrique au dernier degré. Alors que peux-tu espérer ?

Après son mariage éphémère et tumultueux avec un homme qu'elle décrivait comme un « salaud pitoyable et volage », Lily n'avait pas une très bonne opinion du sexe fort. Zoe non plus d'ailleurs. Pourtant, « égocentrique » n'était pas le qualificatif qui lui venait spontanément à l'esprit quand elle pensait à Dan.

— Je ne le vois pas comme ça, répondit-elle.

Elle se rappelait l'entrain qu'il avait mis à jouer son petit ami le jour de leur rencontre, sans parler de la façon dont il lui avait redonné confiance en elle.

— On dirait pourtant qu'il a des efforts à faire dans le domaine relationnel.

— Mais non ! De ce côté-là, tout va bien.

— Jusqu'à quel point es-tu à même d'en juger ? Ce n'est pas franchement ta spécialité non plus, si ?

— Tu exagères.

— Tu as toujours reconnu toi-même que tu étais parfois socialement handicapée !

— Disons que je suis… originale.

C'est ce qu'avait déclaré Dan quand elle lui avait expliqué son amour des chiffres, et cela lui avait paru plutôt positif.

— Compte tenu des pétrins où tu te mets parfois toi-même, « socialement handicapée » me semble un euphémisme.

— Merci beaucoup, sœurette !

— De rien. Je me demande bien pourquoi tu le défends alors qu'il s'est comporté de façon aussi odieuse.

— Je n'en sais rien, mais ce n'est pas un monstre. Il a seulement besoin d'être un peu soutenu.

— Encore un euphémisme !

Peut-être, songea Zoe.

— Bon, il est vrai qu'il m'a demandé de signer une clause de confidentialité.

— Pas possible ! s'exclama Lily en écarquillant les yeux. Il se prend pour qui, celui-là ?

— Chat échaudé craint l'eau froide.

— Vous vous voyez depuis longtemps ?

— Un mois et demi.

— Et ça ne lui a pas suffi pour te connaître et te faire confiance ?

— Je l'aurais cru, répondit Zoe en se remémorant leurs longues conversations à bâtons rompus.

— Ce papier, il aurait quand même pu le déchirer, au bout d'un moment.

— Je ne le lui ai pas demandé.

Devant le regard outré que lui jeta Lily, Zoe se dit qu'effectivement Dan n'avait jamais envisagé de revenir sur cette clause.

— C'est compliqué, reprit-elle en soupirant.

— C'est toujours compliqué. Au cas où tu me demanderais mon avis, je répondrais : « Bon débarras ! »

Le téléphone de Lily se mit à sonner, mettant fin à cette conversation qui avait mis Zoe de plus en plus mal à l'aise. Oui, peut-être se porterait-elle mieux sans Dan dans les parages. Elle avait soudain l'impression de retrouver la logique et la raison qui lui avaient fait défaut ces derniers temps. Ce n'était pourtant pas comme si elle avait été follement amoureuse. Non, il ne s'agissait que de sexe et franchement, si Dan s'imaginait des horreurs à son sujet, qu'il aille au diable !

— Considère cette aventure comme un tremplin vers un monde encore meilleur, reprit Lily après avoir raccroché.

— Je vais m'y employer.

Oui, une fois qu'elle aurait surmonté sa déception, elle pourrait peut-être retourner sur un site de rencontres. Un type bien sous tous rapports — y compris sexuels —, cela devait pouvoir se dénicher, non ?

— Que se passe-t-il ? demanda-t-elle en émergeant de ses pensées pour s'apercevoir que Lily la fixait bizarrement, le combiné de l'Interphone dans la main droite, la gauche couvrant le micro.

— Ton tremplin…

Malgré tout ce qui s'était passé durant les douze heures précédentes, Zoe sentit son cœur manquer un battement.

— Oui ?

— Il est ici, en bas. Et apparemment il veut te voir.

— Pourquoi ?

— Comment veux-tu que je le sache ? Si tu préfères, je peux l'envoyer balader.

Zoe eut la tentation d'accepter, mais se souvint qu'elle avait pris la décision de ne plus se dérober au moindre obstacle.

— Non. De toute façon, j'ai encore quelques petites choses à régler avec lui.

— Vas-y, rentre-lui dedans ! approuva Lily d'un air farouche.

Puis elle confirma à la réceptionniste que leur visiteur pouvait monter…

A l'instant où les portes de l'ascenseur s'ouvrirent, Dan, qui se demandait comment il allait être accueilli, vit Zoe avancer tranquillement vers lui. Il comprit tout de suite dans quel état d'esprit elle se trouvait. Elle arborait une expression hautaine et un sourire professionnel. Il crut même qu'elle allait lui tendre la main.

Si elle avait passé une nuit troublée, si dès l'aube elle avait arpenté sa chambre de long en large en se demandant pourquoi elle avait mis fin à une liaison qui, espérait-il, la comblait, rien ne le laissait deviner. Non, elle était superbe et aussi indéchiffrable que le Sphinx en personne. Ce qui augmenta son inquiétude initiale.

Elle s'immobilisa devant lui. Il eut aussitôt envie de la prendre dans ses bras et de l'embrasser. Il se rappela alors où il était et pourquoi il était venu.

— Dan, lança-t-elle froidement, d'une voix qui résonna dans tout le hall comme le claquement de ses talons sur le sol de marbre. Je ne pensais pas que je te reverrais.

— Tu n'es guère accueillante, mais je suppose que c'est de bonne guerre.

— Je suis extrêmement occupée ce matin, déclara-t-elle en regardant sa montre.

— Je ne te ferai pas perdre ton temps.

Elle croisa les bras en levant les sourcils.

— Alors ?

— Je te demande pardon pour hier soir.

— Très bien.

Elle semblait se moquer totalement de ses excuses. Durant quelques horribles secondes, Dan eut l'impression qu'il l'avait perdue. Sa gorge se serra, et il dut tousser pour s'éclaircir la voix :

— Cette histoire de grossesse m'a légèrement déstabilisé.

— *Légèrement* ?

Il se passa nerveusement la main dans les cheveux, redoutant de ne pas parvenir à maîtriser la situation.

— Très bien. Cela m'a *complètement* déstabilisé.

— Tu es toujours dans le même état d'esprit ? demanda-t-elle en plissant les yeux.

— Non. Je regrette de t'avoir jeté mes problèmes à la figure de cette façon. C'était complètement idiot.

— Mais non. Tu as dramatisé, voilà tout.

— C'est vrai.

— Ecoute, Dan, je peux comprendre que la vision de ce test de grossesse ait ranimé en toi des souvenirs que tu aurais préféré oublier, à un moment où le décalage horaire te rendait plus nerveux et plus vulnérable. Mais toutes les femmes ne se ressemblent pas.

En entendant Zoe évoquer sa vulnérabilité, il étouffa un cri de protestation ; il préféra se concentrer sur l'idée que toutes les femmes ne se ressemblaient pas.

— Je sais.

— Vraiment ? insista-t-elle sur un ton sceptique.

— Je commence à m'en rendre compte grâce à toi, reconnut-il d'une voix moins amère, habité par le fol espoir que tout n'était pas perdu. Je regrette d'avoir douté de toi.

Seigneur ! Il venait de présenter plus d'excuses en cinq minutes que pendant tout le reste de sa vie.

— Si je te ressemblais, fit Zoe, toujours aussi raide, je te demanderais de me le prouver.

— Je suis heureux que tu ne sois pas comme moi.

— Néanmoins, je déteste ces petits jeux, Dan.

— Ça ne se reproduira pas.

— En es-tu certain ?

— Oui.

Elle ne répondit pas et le fixa longuement d'un regard pensif, qui fit naître en lui une tension insupportable.

— Alors, tout est au clair entre nous ? finit-il par lancer avec désinvolture, comme pour minimiser l'importance de la réponse à venir de Zoe.

*
* *

La ferme résolution de Zoe de se montrer froide et impitoyable s'évaporait. Comment refuser des excuses aussi plates et sincères ? De toute façon, jamais elle n'avait été rancunière ; les rares fois où elle s'était disputée avec sa sœur, elles avaient toujours fini par tomber dans les bras l'une de l'autre. De toute évidence, Dan n'avait pas l'habitude de se répandre en excuses, mais il s'était montré franc. D'ailleurs, à peine avait-il commencé qu'elle avait senti fondre ses dernières résistances. Son air accablé, désorienté presque, si loin de sa belle assurance habituelle, l'avait émue. Immédiatement, elle avait remarqué les cernes sombres sous ses yeux, la crispation de ses mâchoires et son expression troublée. Alors, bien qu'elle ait juré à Lily de se montrer ferme, son cœur s'était emballé, et il s'en était fallu de peu qu'elle ne se jette dans les bras de son amant. Pour rester de glace, elle avait dû se rappeler combien il s'était mal comporté envers elle ; pourtant, en dépit de sa détermination, elle avait dû constater à quel point elle était heureuse de le revoir alors qu'elle avait cru que tout était fini.

— Tout est au clair, répondit-elle en s'autorisant un sourire.

Dan poussa un soupir, et ses traits se détendirent enfin.

— Je te demande pardon de m'être montré aussi stupide, insista-t-il.

— Tu t'es assez excusé. Inutile d'en rajouter.

— Je commence à y prendre goût.

— Restons-en là.

— D'accord. Toutefois, il y a un autre point sur lequel tu avais raison.

— Lequel ?

— Je crois qu'effectivement j'ai manqué de courage.

— Ah oui ? Eh bien, figure-toi que sur ce point-là c'est plutôt à moi de te présenter des excuses. Mes propos étaient tout à fait déplacés.

— Non, non. Ça ne m'a pas fait de mal de m'entendre dire mes quatre vérités.

— Vraiment ? Je ne suis pourtant pas du genre à faire la leçon aux autres.

— Tu l'as fait, et je suis bien décidé à en tirer profit.

— Comment ? demanda Zoe, curieuse.

— Je voudrais te demander quelque chose.

Elle entendit son cœur marteler dans ses tempes.

— Vas-y.

— Samedi prochain, je suis invité à un mariage. Accepterais-tu de m'accompagner ?

Zoe fut d'abord déçue, sans trop savoir pourquoi. Puis très surprise. Ainsi, Dan avait l'intention de la présenter à ses amis ? Cela impliquait un changement décisif dans leur relation. A cette idée, elle fut envahie par une douce bouffée de satisfaction.

Puis la panique la submergea.

Elle avait horreur des rassemblements sociaux, et les mariages lui déplaisaient particulièrement parce qu'il y avait trop de gens avec qui il fallait parler — donc trop d'occasions de commettre des bourdes. Malgré la présence rassurante de Dan, celui-là ne pouvait pas faire exception à la règle.

— Un… mariage ? bredouilla-t-elle en tentant de dissimuler l'angoisse qui perçait dans sa voix.

— Oui. Samedi prochain. Tu es libre ?

Elle l'était, mais elle aurait très bien pu dire le contraire et passer la journée enfermée chez elle, téléphone éteint. Un instant, elle fut tentée de mentir ; or, la dernière fois qu'elle s'y était essayée, cela s'était terminé par un désastre. Et puis Dan la déstabilisait trop pour qu'elle s'y risque. En une seconde, il lirait en elle comme dans un livre, et elle se sentirait plus mal encore.

— Ce n'est pas un peu trop tard pour prévenir de ma présence ? demanda-t-elle, espérant que cette contrainte avait pu échapper à Dan.

— Mais non. C'est une fête familiale.

— Une fête familiale ! s'étrangla-t-elle.

C'était pire encore.

— Oui, du côté de ma mère. Un cousin au second degré qui épouse une actrice.

— Il y aura beaucoup de monde ?

— Enormément, hélas. Sa famille est très nombreuse, et par ailleurs il est membre de l'aristocratie. Comte pour être exact.

Zoe était tétanisée. La situation ne faisait qu'empirer !

— Je ne sais pas si…, balbutia-t-elle en fixant la porte tambour dans laquelle venait de s'engager un couple. Je me demande si c'est si bien vu d'emmener à une fête familiale une… une…

Elle s'arrêta en le voyant pâlir. Son sourire s'était évanoui.

— Oublie tout ça, murmura-t-il. Jamais je n'aurais dû te le proposer.

Elle comprit à sa voix brusque et anxieuse à la fois tout ce que sa proposition et les hésitations qu'elle était en train de lui opposer pouvaient représenter pour lui. Il venait de l'inviter à une cérémonie familiale et, dans la mesure où ce mariage avait lieu le samedi suivant, il était résolu jusque-là à y aller seul. Pour un homme qui refusait toute relation à long terme, tout engagement, ce n'était pas rien ; elle ferait mieux de ne pas décliner bêtement, surtout sans la moindre explication.

— De toute façon, tu dois être très occupée, reprit-il avec une feinte légèreté.

— Non, dit-elle en s'efforçant de recouvrer son sang-froid. Je vais t'expliquer.

— Tu n'as pas à me fournir de justification, dit-il en

la fixant d'un air impénétrable. Je me suis dit simplement que l'après-midi risquait d'être plus agréable si tu étais avec moi. Si tu ne veux pas venir, tant pis.

— Ce n'est pas ça.

— De quoi s'agit-il, alors ?

— Je ne me sens pas très à l'aise en société.

— Je ne l'avais pas remarqué.

— Parce que tu n'as jamais eu l'occasion de me voir. Mais les fêtes ne me réussissent pas. Les foules m'angoissent, j'ai tendance à me réfugier dans un coin et à me cacher si quelqu'un regarde dans ma direction. Et puis je ne dis jamais ce qu'il faudrait. Pourquoi crois-tu que je passe tout mon temps à travailler ?

Il la fixa d'un air pensif.

— Encore ton éternel manque de confiance en toi ?

— Sans aucun doute.

Si elle acceptait d'accompagner Dan, non seulement elle allait stresser, mais il risquait de regretter de le lui avoir proposé — voire même de l'avoir rencontrée.

— Ce que j'essaie de t'expliquer, reprit-elle, c'est que si je viens à ce mariage je me tiendrai à l'écart pour éviter de dire une bêtise et de te ridiculiser.

— Ma mère se chargera de mon cas, sois-en sûre !

— Qu'est-ce que tu veux dire ?

— Chaque fois qu'un membre de notre famille convole, elle me demande devant tout le monde quand ça va être enfin mon tour.

— Et ce n'est pas dans tes projets ?

— Absolument pas.

— Dans ce cas, pourquoi te crois-tu obligé d'y aller ? lança Zoe, ignorant la pointe de déception qui lui serrait soudain le cœur.

— Je suis premier garçon d'honneur.

— Effectivement, dans ce cas, impossible de te

défiler. Mais, si je t'accompagne, tu ne crois pas que les spéculations vont aller bon train ?

— Sans doute, mais je viens de m'apercevoir que ça m'était bien égal. Ils n'ont qu'à spéculer tout leur soûl. D'ailleurs, ta présence m'épargnerait les assauts de Beth, la première demoiselle d'honneur, même si je suis assez grand pour me défendre tout seul.

— Dis donc, tu as mûrement réfléchi, on dirait, le taquina Zoe, mi-figue mi-raisin cependant. Qui c'est, celle-là ?

— Elle a jeté son dévolu sur moi le jour des fiançailles et m'a prévenu qu'elle espérait bien me voir remplir *toutes* mes obligations de premier garçon d'honneur. Elle en a profité pour m'embrasser sur la joue et murmurer avec un clin d'œil lascif qu'on avait commandé une tonne de gui…

— Très original !

Zoe fut étonnée par la pointe d'aigreur qui avait teinté sa réponse. L'acuité de la jalousie qu'elle ressentait soudain la déroutait.

— Pour moi, Beth ne présente pas le moindre intérêt, protesta Dan. En ce moment, tu es la seule qui m'intéresse. Mais, si tu ne te sens pas capable de supporter tout ça, je réussirai à m'en sortir seul.

Zoe se mordilla la lèvre. Son rejet des mariages avait sans doute quelque chose d'excessif, de stupide même, et elle avait déjà assisté à un ou deux. Alors, pourquoi ne pas faire face ? Et, naturellement, se répéter qu'il lui faudrait tourner sept fois sa langue dans sa bouche avant de parler.

De plus, ne cherchait-elle pas au fond à sortir de sa routine et à acquérir une meilleure aisance en société ? Ce n'était pas en restant enfermée dans sa chambre qu'elle y parviendrait. Si Dan avait réellement envie de changer ses habitudes, comme il le lui avait promis, et s'il faisait un effort pour surmonter ses angoisses, pourquoi ne pas prendre exemple sur lui ?

— Bon. Je suppose que compte tenu de la présence de célébrités et de membres du gotha, si je viens, personne ne fera attention à moi…

Elle perçut que les tensions de Dan se relâchaient. Il lui sourit.

— C'est triste pour cette demoiselle d'honneur, qui a l'air de savoir ce qu'elle veut, reprit-elle.

— Beth est tellement persuasive qu'elle réussirait à transformer un caniche en pitbull.

— Si on me pose la question, je dirai que nos relations sont exclusivement sexuelles.

— Voilà qui mettra sûrement de l'ambiance !

Elle lui sourit en retour et, après s'être assurée que personne ne les regardait, elle déposa un petit baiser sur ses lèvres.

— Dans ce cas, je vais sortir mon chapeau de son carton.

11.

« Le mariage du siècle, à coup sûr », se dit Zoe en se glissant sur un banc à droite de l'allée, à peu près au milieu de l'église. Le service allait commencer ; elle en profita pour observer l'assistance. Que du beau monde. Même si elle ne s'intéressait guère aux célébrités, elle avait déjà identifié parmi les quatre cents invités deux animateurs de télévision et un top-modèle. Compte tenu du fait que la mariée avait obtenu un Oscar et que le marié était noble, il devait y en avoir des douzaines d'autres qu'elle était incapable de repérer. A part Dan, elle ne connaissait absolument personne...

Bien qu'on soit en plein après-midi, l'obscurité commençait à tomber et on avait allumé des centaines de bougies qui illuminaient l'espace. Un immense sapin de Noël richement décoré se dressait à l'entrée de l'église, et des oranges piquées de clous de girofle dégageaient une odeur qui rappelait à Zoe celle du vin chaud.

Elle s'efforça de trouver une position confortable, en dépit de la dureté du banc. Jamais elle n'avait assisté à une cérémonie aussi imposante et spectaculaire. La veille, Dan avait dû participer à l'enterrement de vie de garçon du marié. Il avait pris la route pour le Somerset à l'heure du déjeuner, en regrettant que Zoe ne puisse l'accompagner. De son côté, elle était arrivée en train le matin même, mais Dan avait été tellement absorbé

117

par ses obligations de premier garçon d'honneur qu'ils n'avaient pas encore pu se voir.

Normalement, elle aurait dû se sentir terrorisée. En panique, ruisselante de sueur, au bord de la crise de nerfs. Elle aurait dû choisir le banc le plus proche de la porte. Mais bizarrement ce n'était pas le cas. Peut-être était-ce l'effet indirect du malaise qu'elle avait ressenti la veille. Après avoir dîné avec Lily, celle-ci avait tapé sur internet le nom des mariés et dévoré tous les ragots les concernant. En découvrant l'ampleur de l'événement, Zoe avait commencé à paniquer, mais sa sœur lui avait versé un grand verre de vin rouge et avait passé la nuit avec elle. Le matin même, Lily l'avait amenée à la gare et l'avait pratiquement ligotée à son siège avant de redescendre du train.

Mais peut-être son calme surprenant venait-il simplement du fait que Dan, lui aussi, semblait convaincu qu'elle allait se montrer à la hauteur ; ou de sa propre certitude que personne ne s'intéresserait à elle. D'ailleurs, nul n'avait cherché à engager la conversation, et aucun regard inquisiteur ne semblait s'être posé sur elle. Par conséquent, elle se sentait étrangement à l'aise, heureuse de ne pas s'être dérobée à cette épreuve qui ne pouvait qu'améliorer sa confiance en elle.

Un frisson traversa la foule, accompagné de murmures admiratifs. Elle tourna légèrement la tête et frémit de la tête aux pieds : Dan venait d'entrer dans son champ de vision, à l'extrémité de l'allée, juste à côté du marié. Beau à couper le souffle et très détendu pour un homme qui considérait ce genre d'obligation comme une épreuve.

En découvrant sa silhouette que la jaquette mettait merveilleusement en valeur, elle ne put retenir un léger soupir. Cela faisait à peine quarante-huit heures qu'elle ne l'avait pas vu, mais il lui manquait tellement déjà qu'elle avait l'impression de l'avoir quitté depuis dix ans. Il pencha la tête d'un air concentré pour rajuster la rose crème qu'il portait à la boutonnière. Soudain, comme s'il avait deviné le regard qu'elle posait sur lui, il leva les yeux vers elle et lui sourit en articulant un silencieux bonjour. Zoe lui répondit de même puis, comme il semblait lui demander si tout allait bien, elle inclina la tête.

Un instant, elle crut qu'il allait s'approcher d'elle — dans ce cas, comment s'empêcher de se jeter dans ses bras ? Mais le marié lui souffla quelque chose à l'oreille en regardant vers la gauche, et Dan tourna la tête. Soudain, un ensemble bleu roi s'intercala entre son amant et elle. Levant le visage, Zoe constata qu'une femme entre deux âges, mince et élégante, se tenait devant elle et la scrutait avec curiosité.

A ses yeux sombres et à ses cheveux, elle comprit tout de suite qu'il s'agissait de la mère de Dan. Si elle n'avait pas été obnubilée par l'épreuve que représentait cette cérémonie, elle aurait préparé des sujets de conversation adaptés à la situation, des propos charmants et insignifiants. Hélas, elle restait stupidement muette. Tout en essayant d'avaler péniblement la boule qui lui obstruait la gorge, elle se souvint qu'elle était en pleins progrès et que Dan avait foi en elle. Elle se leva donc et sourit en articulant : « Bonjour ».

— Qui êtes-vous ? s'enquit la mère de Dan, impériale, en haussant les sourcils.

— Zoe Montgomery.

— Je suis Catherine Forrester.

Elle lui tendit sa main gantée.

— Je suis très heureuse de faire votre connaissance, affirma Zoe.

— Moi aussi, je suis heureuse de vous rencontrer, murmura Catherine Forrester en l'observant pensivement durant quelques instants. Mais attendez : vous avez bien dit « Zoe Montgomery » ?

— Oui.

— L'ex-fiancée ?

En d'autres circonstances, Zoe aurait apprécié la franchise de Catherine Forrester. Elle se serait même senti des affinités avec elle. Là, elle ne put s'empêcher de baisser la tête en rougissant.

— Oui. Mais ce malheureux incident n'a eu aucune conséquence, balbutia-t-elle en se souvenant que la mère de Dan rêvait de le voir se marier.

Mieux valait que la situation soit claire, d'emblée.

— Dans ce cas, pourquoi mon fils vous sourit-il d'un air béat ?

— D'un air béat ? répéta-t-elle, interloquée.

— Oui, un air si chaleureux, si protecteur… Quand je l'ai remarqué, je me suis dit que je ferais mieux d'aller aux nouvelles.

— Disons que je suis sa petite amie. Comme je viens d'arriver, il a sans doute voulu s'assurer que tout allait bien.

— Sa *petite amie* ? J'avais cru lire dans la presse que vous vous connaissiez à peine ?

Voilà, elle s'y retrouvait finalement, en terrain miné ! Il lui fallait conserver toute sa prudence et sa concentration.

— Eh bien, depuis cette épouvantable histoire de fausses fiançailles, il se trouve que nous avons appris à nous connaître un peu mieux.

— Jusqu'à quel point ? insista Catherine Forrester.

— Jusqu'à un certain point, biaisa prudemment Zoe.

En fait, Dan et elle commençaient à si bien se connaître — physiquement au moins — qu'elle s'empourpra sous l'œil scrutateur de son interlocutrice.

— Je vois. Et quelles sont au juste les intentions de mon fils à votre égard ?

— Je pense qu'il n'a aucune intention particulière.

Hélas, se lamenta Zoe *in petto*. Sauf qu'elle était ici et faisait connaissance de la mère de Dan…

— Et vous ?

Elle ne pouvait quand même pas répondre qu'il s'agissait de sexe. Exclusivement.

— Aucune non plus.

— Vous en êtes sûre ?

— Absolument ! affirma Zoe.

— Dommage. Néanmoins, vous êtes là, avec Dan. C'est quand même un grand pas en avant.

— Il ne faut pas nourrir trop d'espoir, répondit-elle d'une voix ferme, tout autant pour son propre compte que pour Catherine. Je ne suis pas sûre que ma présence signifie quoi que ce soit.

— Pour moi, elle pourrait signifier des petits-enfants.

Oh là là ! Mieux valait étouffer cette illusion dans l'œuf et ne pas lui laisser croire qu'il y ait la moindre possibilité…

— Ce n'est pas du tout le cas.

En voyant la déception envahir les traits de Catherine Forrester, Zoe se sentit affreusement coupable. Mais la mère de Dan se reprit immédiatement et lui sourit.

— Ce n'est pas grave, conclut-elle. J'aurai peut-être plus de chance avec la prochaine.

La *prochaine* ? Zoe imagina soudain Dan avec une autre femme, et son sang ne fit qu'un tour. Evidemment qu'il y aurait une prochaine. Comme Dan et elle n'avaient jamais fait de projets d'avenir, un jour ou l'autre, leurs routes allaient se séparer. Mais l'entendre formuler ainsi lui fit prendre conscience qu'elle n'en avait pas envie du tout.

— Je vous le souhaite, se contenta-t-elle de répondre.

— Bon, je ferais mieux de retourner m'asseoir. En tout cas, je suis ravie de vous avoir rencontrée.

Lorsque Dan eut enfin réussi à se débarrasser de Beth en lui promettant de l'inviter à danser un peu plus tard, les invités s'étaient déjà rassemblés sous la tente où le repas serait servi. Avec tout ce monde, retrouver Zoe n'allait pas être une mince affaire. Mais il finit par l'apercevoir en train d'examiner le plan de table.

Un peu plus tôt, dans l'église, il avait été soulagé de constater qu'elle avait surmonté ses appréhensions. Il avait remarqué son manteau rose et le petit chapeau rose et noir perché de travers sur sa tête. Maintenant qu'il pouvait contempler tout à loisir sa chevelure relevée en un chignon, ses doigts brûlaient de la dénouer et de passer la main sous son manteau. Il la sentit frémir lorsqu'il la prit par l'épaule.

— Salut, lui souffla-t-il à l'oreille. Tu vas bien ?

— Mieux que tout à l'heure. Alors, comment trouves-tu la première demoiselle d'honneur ?

— A croquer.

— Quand vous avez remonté l'allée à la fin de la cérémonie, on aurait dit que son bras était greffé sur le tien. Mignonne d'ailleurs, dans le style dépravé.

En décelant une pointe de jalousie dans la voix de Zoe, il refréna un sourire de triomphe.

— En effet, concéda-t-il.

Il lui fallait bien reconnaître que Beth était sexy ; le nier aurait été faire insulte à l'intelligence de Zoe, qui esquissa une grimace en entendant son approbation.

— Mais elle a un rire de hyène, ajouta-t-il. Et comme elle ne se prive pas d'en user, mes tympans ont été mis à rude épreuve.

Juchée sur ses talons de douze centimètres, Zoe n'eut aucun mal à lui chuchoter à l'oreille :

— Tu as envie de m'embrasser ?

— Depuis des heures, répondit-il en la prenant par

la taille pour la pousser derrière le chevalet où était posé le plan de table.

Ainsi à l'abri des regards, il la prit dans ses bras et posa la bouche sur la sienne. Zoe se nicha contre lui et, une fois de plus, leur baiser devint si passionné que leurs mains commencèrent un ballet de caresses. Dan en vint à se demander s'ils ne feraient pas mieux de s'échapper et de passer le reste de la journée au lit.

Un instant, il fut tenté de mettre ce projet à exécution, mais les rires et les bavardages des invités le ramenèrent à la réalité. L'heure des discours approchait, et l'on risquait de remarquer son absence. Haletant, il s'arracha à regret aux bras de Zoe, le corps brûlant de désir inassouvi.

— Tu sens si bon, lui chuchota-t-elle en enfouissant le visage au creux de son cou.

— Et toi, tu es superbe.

Surtout avec ses yeux brillants et ses joues enflammées.

— Et ton chapeau est adorable, reprit-il. Dommage que tu le laisses dans son carton le reste du temps !

— En plus, contrairement à moi, il adore sortir.

Elle lissa prestement son manteau avant de tirer de son sac un miroir et un tube de rouge pour réparer les dommages que Dan avait commis.

— Tu ne perds rien pour attendre, dit-il en la prenant par la main pour la guider parmi la foule. Dis-moi, je t'ai vue parler à ma mère.

— Oui.

— Néanmoins, tu as survécu.

— Avec difficulté.

— De quoi avez-vous causé ?

— De tout et de rien.

— Cela ne me dit rien qui vaille.

— Tu as tort. Elle est charmante.

— Elle peut l'être quand elle ne cherche pas à me passer de force la corde autour du cou. Tu devrais boire un peu de champagne avant de faire connaissance avec ma sœur. Elle aussi est un peu spéciale

Il prit deux coupes sur le plateau d'un serveur qui passait, et en tendit une à Zoe. Elle le remercia et avala une gorgée tout en regardant à la ronde.

— Tu sais, Samantha Newark vendrait sa mère pour être ici.

— Si je la voyais, je la jetterais dehors.

— J'aime ton esprit chevaleresque.

— Je regrette de ne pas avoir été là pour t'accueillir tout à l'heure.

— En définitive, je me sens beaucoup moins stressée que je ne le craignais. Tu as fait du bon boulot : le marié avait l'air très détendu.

— J'ai glissé un calmant dans son café au petit déjeuner.

Zoe éclata de rire.

— Il est tellement convaincu d'épouser la bonne personne que je n'en ai pas eu besoin, reprit-il.

— Tu as toujours été contre le mariage ?

— Qu'est-ce qui te fait croire ça ?

— Ce ton toujours cynique et désabusé. Et ton tressaillement quand j'ai dit aux filles dans le pub que nous sortions ensemble depuis six mois. De là à penser que tu n'étais pas fait pour le mariage… Je suppose que celui de tes parents a dû te servir de contre-exemple.

— Peut-être.

— Combien de temps a tenu ta relation la plus durable ?

— Un an.

— Ce n'est pas si mal par rapport à moi : jamais plus de trois mois. C'était avec la fille qui t'a trahi, Natalie ?

A l'évocation de ce souvenir, le visage de Dan se crispa.

— Tu l'aimais ? osa-t-elle lui demander, peut-être enhardie par le champagne.

— Je l'ai cru.

— Moi, je ne te ferai jamais de mal.

— Comment peux-tu en être si certaine ?

— Je sais par expérience qu'il vaut mieux dire ce qui ne va pas plutôt que de taire ses ressentiments en pensant que tout va s'arranger par miracle. Bien des blessures ont pour origine des malentendus qu'aurait pu éviter une simple conversation.

— Quelle sagesse !

— Tu te moques de moi, protesta Zoe.

— Je regrette simplement de ne pas y croire.

— Je comprends mieux pourquoi tu as banni de ta vie toute relation à long terme.

— Mais ce n'est pas le cas !

Cette phrase avait jailli de sa bouche sans qu'il le veuille. Peut-être exprimait-elle une vérité inconsciente, après tout… Cela faisait un moment qu'il voyait Zoe, la presse avait l'air de les laisser en paix, et les choses se passaient plutôt bien entre eux.

— Alors peut-être cela vaut-il la peine que je passe de la théorie à la pratique et que je te demande où nous allons, tous les deux, dit-elle d'une voix douce. Je ne parle pas de ce mariage, mais…

A cet instant, un rire de gorge retentit derrière Zoe. Dan leva les yeux et *la* vit. Brusquement, d'horribles souvenirs remontèrent à sa mémoire et le paralysèrent.

12.

« Je te demande où nous allons, tous les deux ? »

Elle avait osé poser la question, et avait réussi à le faire en restant calme, même si elle avait eu beaucoup de peine à la formuler. Mais Dan ne l'écoutait plus. Le visage figé, le regard plus fermé que jamais, il fixait un point derrière elle, méconnaissable.

— Dan ? s'exclama-t-elle, inquiète de sa pâleur soudaine et de la tension presque palpable qu'elle sentait monter en lui.

Il ne répondit pas, comme si elle n'existait plus, comme s'il était ailleurs. Si elle n'avait pas été aussi inquiète, elle en aurait presque été vexée.

— Dan ! répéta-t-elle un peu plus fort.

Il posa les yeux sur elle, un regard vide qui la fit frissonner d'appréhension.

— Oui ? lança-t-il, d'un ton si distant qu'elle recula d'un pas.

— Tout va bien ?

— Oui, lâcha-t-il contre toute vraisemblance, absent.

— Tu es si pâle ! On croirait que tu viens de voir un fantôme.

— Seulement une ex, reconnut-il avec un sourire crispé.

— Ah bon ?

Zoe s'efforça de dissimuler la curiosité qui avait pointé

dans sa voix. A voir la réaction de Dan, il était clair qu'il ne s'agissait pas de n'importe quelle ex, mais sûrement de Natalie, cette fille qu'il avait aimée et qui l'avait démoli parce que sa carrière passait avant tout le reste.

— Où est-elle ?

— A côté de la sculpture de glace.

Zoe s'était imaginé qu'elle allait devoir rivaliser avec une demoiselle d'honneur trop enthousiaste mais, désormais, Beth était le dernier de ses soucis. Une à une, elle scruta les invitées qui se trouvaient dans les parages.

— Laquelle est-ce ?

— La blonde.

— Natalie *Blake* ? fit-elle, ébahie.

— Oui.

— Ton ex, c'est *elle* ?

Le corps et le visage de Natalie Blake, un top-modèle de renommée internationale, étaient présents partout, dans la rue et sur les écrans. Une des rares célébrités que Zoe avait identifiées, dont la silhouette en maillot de bain semblait défier les statistiques les mieux établies concernant les mensurations féminines.

Elle contempla cette femme qui ne levait pas le petit doigt pour moins d'un demi-million de dollars, et qui en ce moment même riait en balançant sa longue chevelure blonde. En chair et en os, elle était plus étonnante encore.

Même si Zoe n'avait pas honte de son corps, comment rivaliser avec ces courbes divines, ces jambes interminables, cette grâce si particulière ? Mais elle au moins n'avait pas une pierre à la place du cœur, et jamais elle n'aurait avorté sans en avoir parlé avec le père.

— Tu veux la saluer ? demanda-t-elle à Dan, toujours cloué sur place.

— Pas spécialement.

— Il va pourtant falloir que tu le fasses, dit-elle en

voyant la blonde se diriger vers eux, un sourire éclatant aux lèvres. Veux-tu que je vous laisse tous les deux ?

— Surtout pas ! dit-il en l'attirant à lui pour l'embrasser.

Avant que Zoe ait pu reprendre ses esprits, Natalie était devant eux. Elle leur décocha un sourire si magnétique qu'elle comprit immédiatement pourquoi cette déesse gagnait si bien sa vie. Et elle eut envie de se précipiter devant Dan pour le protéger du terrible danger qui le menaçait.

— Hello, Dan, susurra Natalie.

Elle avait une voix de gorge aussi sexy que tout le reste, qui déstabilisa totalement Zoe.

— Hello, articula Dan, glacial.

— Cela fait si longtemps !

— Je te présente Zoe Montgomery.

— Ton ex-fiancée ?

— C'est une longue histoire. Ravie de vous connaître, dit Zoe en tendant la main.

— Moi aussi. Je suis Natalie Blake, répondit l'arrivante en lui serrant la main.

Elle se tourna vers Dan, toujours aussi souriante.

— Comment vas-tu ?

— Très bien. Et toi ?

— On ne peut mieux, affirma Natalie.

— Que fais-tu là ?

— Je suis une amie d'Helena.

— Je l'ignorais.

— Nous avons tourné récemment un film ensemble.

— Lequel ? intervint Zoe.

Elle regretta d'avoir posé la question, car le film que mentionna la sculpturale blonde avait été numéro un au box-office pendant des mois.

— Tu t'es bien débrouillée, reconnut Dan avec un sourire contraint.

— J'ai eu de la chance. Mais, toi aussi, tu t'es bien débrouillé.

— Moi, j'ai travaillé dur.

Un silence tendu s'installa, que Zoe fut incapable de meubler.

— C'est un peu embarrassant, déclara finalement Natalie avec un rire nerveux. Je n'aurais pas dû t'aborder, mais j'avais juste envie de savoir comment tu allais. Après… tout ce qui s'est passé.

— Cela fait huit ans maintenant, alors…

— Je sais, mais j'ai souvent pensé à toi, et à… tout ça.

— Oublie.

— Je… je regrette de m'être comportée de cette façon.

— Ne t'en fais pas. Il y a prescription.

— Tant mieux, répondit Natalie, visiblement soulagée, avant de se tourner vers Zoe. Ça m'a fait plaisir de faire votre connaissance. Je vais rejoindre mes amis.

Au fond, cette résurgence du passé avait été moins pénible qu'il ne le redoutait, se dit Dan. Sa propre indifférence l'avait même surpris. En voyant Natalie, il avait éprouvé un choc, mais ensuite il s'était surtout concentré sur Zoe, dont la présence l'avait rasséréné.

— Voilà donc la femme qui t'a brisé le cœur.

— Aujourd'hui, j'en viens à me demander si mon cœur était vraiment impliqué dans cette histoire.

— Elle est très belle. En plus, même si j'ai du mal à l'admettre, elle a l'air plutôt sympa. On dirait vraiment qu'elle regrette le mal qu'elle t'a fait.

— Peut-être.

Peut-être surtout ne l'avait-il pas aimée autant qu'il l'avait cru.

— Tu crois vraiment qu'il y a prescription ? demanda Zoe avec un soupçon d'inquiétude.

— Oui, vraiment.

Au moment où le maître de cérémonie réclamait le silence, le regard de Dan croisa celui de sa compagne. Il fut alors envahi par une impression de bien-être indéfinissable.

— Merci, chuchota-t-il.

— De quoi ?

— Je ne sais pas exactement, mais merci.

— De rien. Tu ferais mieux de réviser ton discours.

Après avoir tapoté le micro, le marié commença à parler, mais les yeux de Zoe restaient rivés à Dan. Penché vers la mère de la mariée, il lui tenait des propos qui la faisaient sourire. Un homme superbe, plein d'assurance et prévenant ; peut-être un peu compliqué, parfois légèrement irritant, à l'occasion têtu comme une mule, mais cela ne faisait qu'ajouter encore à sa séduction.

Zoe se sentait heureuse. Dan Forrester la rendait heureuse. Le matin, quand il était à côté d'elle, elle se réveillait en souriant. Oui, elle était amoureuse, s'avoua-t-elle en posant sur lui un regard rêveur. En fait, elle l'adorait. Pour de bon. Elle tressaillit soudain. Elle, *amoureuse* ? Comment avait-elle pu… ? Et depuis quand ? Elle n'était même pas certaine de croire en l'amour — logique, rationnelle, ce sentiment lui avait toujours paru intangible car non quantifiable, irréductible aux statistiques. Comme il était risqué de faire dépendre d'un autre son bien-être, son bonheur. Elle avait beau reconnaître l'importance du sexe, de l'amitié et d'une certaine communauté d'idées, l'amour n'avait jamais fait partie de ses priorités.

Et pourtant cette émotion lui semblait aujourd'hui à la fois tangible et quantifiable puisque son pouls battait plus vite, que son cœur se gonflait d'émerveillement et de joie.

A peine consciente des applaudissements qui éclataient, elle leva son verre, sans vraiment remarquer que le père de la mariée commençait son discours. Elle était trop occupée à réaliser que cela faisait des semaines qu'elle était folle de Dan, et que cela expliquait tout : la douleur qu'elle avait ressentie quand ils avaient eu cet accrochage au sujet du test de grossesse, ou sa souffrance terrible lorsqu'elle avait cru que tout était définitivement terminé entre eux. Mais cela expliquait aussi ce bien-être merveilleux qui l'avait envahie tout à l'heure quand il lui avait fait signe depuis l'autre bout de l'église, sa jalousie à l'égard de la demoiselle d'honneur ou encore l'amertume qui l'avait submergée quand Catherine Forrester avait espéré avoir « plus de chance avec la prochaine ». Sans parler de sa déception quand Dan s'était montré si froid à son égard. Et quand Natalie s'était approchée et qu'il était si pâle, si tendu, n'avait-elle pas bizarrement eu envie de le protéger, de faire écran entre cette femme et lui ?

Avait-elle enfin rencontré l'homme de sa vie ? Elle l'espérait. Vraiment.

Mais elle, de son côté, était-elle la femme de sa vie ? Certes, il l'avait invitée à ce mariage, mais comment savoir ce que cela signifiait au juste ? Trouverait-elle le courage de le lui demander ? Et de lui révéler ses propres sentiments ? Ou valait-il mieux attendre qu'il prenne l'initiative ? Tout cela était si nouveau pour elle…

— Excellents, ces discours, déclara une voix sur sa droite, l'arrachant au tumulte de ses pensées et de ses émotions.

Une femme la regardait. *Ces* discours ? Il y en avait donc eu plusieurs ? Elle ne les avait pas entendus ? Avait-elle manqué aussi celui de Dan ?

— Oui, répondit-elle, c'était vraiment bien trouvé.

— Je m'appelle Lizzie, dit la femme en lui souriant.

— Et moi Zoe.

— Vous n'aviez pas l'air de vous ennuyer, Dan et vous, tout à l'heure, derrière le chevalet.

— Euh… non, répondit Zoe d'un ton rêveur, encore sous le choc de sa récente prise de conscience.

— Et Natalie Blake, qu'est-ce qu'elle vient faire dans tout ça ? Venez donc prendre un verre, je crois que nous avons des choses à nous dire. Vous savez, j'adore les histoires d'amour !

Peu avant minuit, Dan réussit enfin à arracher Zoe aux griffes de sa sœur, avec laquelle elle bavardait depuis des heures.

— Pour quelqu'un qui est mal à l'aise dans ce genre d'occasion, tu caches bien ton jeu, dit-il en la prenant par l'épaule pour la guider vers l'ascenseur.

Elle eut un petit rire et se serra contre lui tandis qu'ils traversaient le couloir menant à leur chambre.

— Pour être honnête, je me demande pourquoi je m'en suis fait une telle montagne durant des années. Jamais je ne me suis autant amusée ! Mon Dieu, j'ai dû abuser du champagne, s'exclama-t-elle en se rendant compte qu'elle venait d'écraser le pied de Dan.

Les joues roses, les yeux étincelants, elle était adorable. En entrant dans la chambre, elle trébucha et sa main le frôla sous la ceinture, comme par inadvertance.

— Dis donc, coquine, dit-il en suspendant à la poignée extérieure le panneau « Ne pas déranger ».

— Je ne l'ai pas fait exprès, mentit-elle en s'asseyant dans un fauteuil pour retirer ses épingles à cheveux. Au fait, tu sais pourquoi je suis venue te voir, le jour de la remise du prix ? Parce que j'avais l'impression que tu serais capable de me révéler à moi-même. Je ne me suis pas trompée. Tu m'as vraiment fait beaucoup de bien.

Elle aussi, elle lui avait fait un bien fou, songea Dan en l'aidant à se débarrasser des dernières épingles.

— Je suis ravi d'avoir pu te rendre service.

— Merci de m'avoir invitée.

— Merci d'être venue.

— Jamais je n'oublierai cette journée. Surtout le moment où les cygnes se sont échappés de leur enclos et ont envahi la piste de danse. C'était le clou de la fête, tu ne trouves pas ?

— Si tu le dis, répondit-il d'un air dubitatif.

— Oh ! il y a eu d'autres bons moments. La rencontre avec ta sœur, par exemple. Elle est très sympa, et elle m'a même invitée à passer le réveillon chez elle, à New York.

— Tu lui as plu. Et à ma mère aussi, soit dit en passant.

— Et pour toi, alors, quel a été le clou de la fête ?

Peut-être le moment où il s'était senti enfin libéré totalement de Natalie, se dit-il. Ou alors chaque fois que son regard s'était posé sur Zoe avec fierté et admiration. Ou plutôt le moment où il s'était rendu compte qu'il éprouvait pour elle beaucoup plus que de l'affection ? Même s'il n'était peut-être pas encore prêt à le lui avouer…

— Je crois que, pour moi, le clou de la fête reste encore à venir, murmura-t-il en la prenant dans ses bras. A condition que tu joues le jeu.

Les yeux de sa compagne s'obscurcirent, et sa respiration se fit plus rapide.

— Quel jeu ?

— Celui de la ravissante invitée qui meurt d'envie d'aller plus loin, chuchota-t-il en s'attaquant à la glissière de sa robe.

— Pourquoi pas ? Si tu insistes vraiment…

La robe glissa sur le sol. Le silence se fit, entrecoupé

seulement de gémissements et de petits cris de gorge tandis qu'ils se serraient étroitement l'un contre l'autre.

Enfoui en elle au plus profond, Dan se dit que son seul désir, c'était de rester là, pour toujours. La veille du jour où il était parti aux Etats-Unis, il avait cru qu'il était peut-être tombé amoureux. Aujourd'hui, « peut-être » n'était plus de mise. Zoe était courageuse, forte, loyale et protectrice. Elle n'avait peur de rien et savait faire face.

Oui, il était fou d'elle.

Quand Dan sortit de la douche qu'il venait de partager avec Zoe, le lendemain matin, il était encore sous le choc de la découverte de ses sentiments pour elle. Cette révélation l'emplissait à la fois de joie et de panique.

On frappa à la porte. Il ouvrit et réceptionna les petits déjeuners qu'il avait commandés ainsi qu'une brassée de journaux. A peine avait-il tourné quelques pages qu'il eut l'impression qu'une lame acérée lui déchirait le cœur. La douleur qu'il ressentit était si vive qu'il s'écroula dans un fauteuil, totalement anéanti.

13.

En contemplant ses joues rouges et ses yeux brillants dans le miroir embué de la salle de bains, Zoe ne put s'empêcher de sourire.

La veille, elle avait enfin lâché prise, pour la première fois de sa vie, et dansé toute la soirée. L'amour et le champagne l'avaient soulevée sur un petit nuage dont elle aurait aimé ne jamais redescendre. Et elle y était restée car la nuit qu'elle venait de vivre avait été la plus belle de sa vie, une nuit qu'elle aurait voulu voir durer toujours.

Certains invités s'étaient intéressés à elle et s'étaient montrés charmants et chaleureux. Avec Lizzie, elles avaient bavardé à cœur ouvert, et Celia, la sœur de Dan, s'était comportée de façon adorable. Le dîner s'était déroulé sans qu'elle ressente la moindre angoisse. Les mots lui étaient venus naturellement aux lèvres et sans se forcer, elle s'était sentie à l'aise. Grâce à Dan et au merveilleux effet qu'il avait sur elle. Il l'avait aidée à s'épanouir, à dévoiler la meilleure part d'elle-même et à prendre confiance. Enfin, elle était devenue celle qu'elle avait toujours rêvé d'être. Elle lui en serait à jamais reconnaissante.

Elle espérait avoir sur lui le même effet positif. Lui aussi avait l'air plus détendu, se dit-elle en enfilant le peignoir pendu à la porte. Il riait davantage et se montrait plus expansif, plus ouvert. Au cours de la longue douche qu'ils venaient de partager, il l'avait regardée avec une telle adoration qu'elle s'était sentie une reine. A l'idée qu'il puisse lui aussi éprouver le même sentiment, connaître le même bonheur, une joie infinie prit possession d'elle. Plus elle y pensait, plus elle était convaincue qu'il était amoureux d'elle. Il fallait qu'elle en soit certaine, tout de suite. La nuit précédente, quand il lui avait demandé si l'apparition des cygnes avait vraiment été le meilleur moment de sa soirée, elle n'avait pas osé lui avouer la vérité : la découverte de l'amour qu'elle éprouvait pour lui…

Elle décida de passer à l'action. Le cœur battant et le corps frémissant d'excitation, la tête emplie de visions d'avenir, elle noua la ceinture du peignoir et sortit de la salle de bains.

Mais, à la vue de Dan qui lui faisait face, elle s'immobilisa. En découvrant son visage d'une pâleur de cendre, ses yeux au regard vide, ses mâchoires crispées, elle eut l'impression que si elle l'effleurait son corps volerait en éclats. Derrière lui, elle aperçut le chariot du petit déjeuner d'où s'élevaient des effluves appétissants, et les journaux éparpillés sur le lit. L'air de la chambre lui parut soudain glacial, et elle fut parcourue par un long frisson.

— Que se passe-t-il ? demanda-t-elle en se précipitant vers lui.

Il s'écarta d'elle, la laissant stupéfaite.

— Ce qui se passe ? Voilà ! répondit-il d'une voix pleine de colère en lui tendant un journal. Voilà ce que tu as fait !

Nouée par l'angoisse, elle saisit le tabloïd d'une main tremblante. Elle découvrit en première page une série de photos anciennes de Dan et quelques photos d'elle. Elle chancela et dut s'asseoir pour lire le contenu de l'article qui se poursuivait en pages intérieures. Tous les détails de sa conversation avec Lizzie y étaient consignés au mot près : les persécutions qu'elle avait endurées en pension, les noms des filles, les circonstances de sa rencontre avec Dan et l'histoire de leurs prétendues fiançailles. Avec un haut-le-cœur, elle constata qu'il y était également question de la règle de trois, des relations de Dan avec Natalie (heureusement, elle n'avait pas évoqué l'avortement devant Lizzie) et de ce qu'il pensait de sa mère et de ses tantes.

Curieusement, elle fut peu affectée par ce qu'on disait à son sujet, même si cela pouvait nuire à Lily, à elle et à l'agence. Ce qui l'anéantissait, c'étaient les révélations concernant Dan qui ne se résumaient pas à de simples indiscrétions : on aurait dit que Lizzie lui avait fait boire à son insu un sérum de vérité tant les réponses qu'elle rapportait étaient personnelles et détaillées.

Elle avait trahi Dan exactement comme elle s'était engagée à ne jamais le faire…

— Dan…, commença-t-elle, ne sachant comment s'excuser.

— Comment as-tu osé ? l'interrompit-il d'une voix blanche.

— Je ne savais pas. Elle m'a semblé si gentille et si intéressée par ce que je lui racontais. Et elle me posait des tas de questions…

Elle se tut, dévastée de s'être montrée aussi naïve, aussi nulle.

— Effectivement, elle était très intéressée, s'écria Dan en proie à une fureur terrifiante. Et elle a dû t'en poser, des questions ! C'était une horreur de journaliste !

— Je ne savais pas, balbutia Zoe, au comble du désespoir. Elle m'a raconté qu'elle était une cousine éloignée.

— Et tu l'as crue ?

— Je n'avais aucune raison de ne pas la croire.

— Elle était venue couvrir l'événement pour un de ces torchons. Et toi, tu ne t'es doutée de rien ?

— Hélas, je ne suis pas très psychologue.

Dans le silence qui suivit, Zoe pria pour que Dan la comprenne et accepte ses excuses. Elle releva la tête pour lui jeter un regard timide, mais les yeux de son amant étincelaient toujours de rage.

— « Pas très psychologue », explosa-t-il. C'est tout ce que tu trouves à dire ?

— Non, bien sûr, murmura-t-elle en se levant, paniquée à l'idée de ne trouver aucune autre défense. Je suis inexcusable.

— Je t'avais pourtant dit et répété que les journalistes étaient à mes trousses, avides de la moindre bribe d'information. Et toi, tu as tout servi sur un plateau à cette maudite fouine.

— J'ignorais qu'elle était journaliste, balbutia-t-elle, consciente et effrayée d'avoir tout gâché. Dès qu'elle m'a abordée, j'aurais dû prendre le large. Mais j'étais trop distraite…

— Par quoi ? Tu te demandais combien tu pourrais lui extorquer en échange ?

— Je n'ai pas besoin d'argent ! s'offusqua-t-elle. Et je te prie de croire que ce n'est pas mon genre !

— Tu as signé un contrat de confidentialité. Tu en as rompu pratiquement toutes les clauses.

— Que comptes-tu faire ? s'écria-t-elle, horrifiée à la pensée de tout ce qu'elle risquait de perdre, entraînant Lily dans sa chute.

— Je t'en informerai en temps et heure.

Zoe recula d'un pas, prise de panique.

— Ecoute, Dan, j'ai commis une erreur et je te demande de m'excuser. Si je peux la réparer, je suis prête à le faire, à n'importe quel prix. A présenter mes excuses à Natalie. A parler à ta mère, à tes tantes…

— Surtout pas ! Cela ne ferait qu'aggraver la situation.

— Alors, c'est fini ? Tu ne me pardonneras jamais ?

Il lui jeta un regard si froid et si résigné qu'elle crut qu'elle allait se transformer en pierre.

— De toute façon, quelle importance ? Je savais bien que tu finirais par me décevoir.

— Pardon ?

— Tu avais dit que tu ne me décevrais pas, mais c'est bien pourtant ce qui s'est produit.

— Je sais, et je le regrette.

— Nous savons tous les deux qu'un jour ou l'autre, tu recommenceras.

— Je ne peux pas te garantir le contraire : je suis un être humain, faillible par définition, Dan. Nul n'est parfait, même pas toi.

— Je le sais. Mais toi, justement, je te croyais parfaite.

Elle le fixa, incrédule. Comment avait-il pu penser une chose pareille ?

— Remarque que je n'ai fait que dire la vérité. Et je n'ai rien mentionné de vraiment confidentiel : ni le rachat de cette affaire aux Etats-Unis, ni l'avortement de Natalie. J'ai commis une erreur, et je ne peux pas te promettre que je n'en commettrai plus d'autre.

Il lui jeta son fameux regard impénétrable. Zoe retint son souffle. Elle ne parvenait pas à croire qu'il allait la laisser partir comme ça, après tout ce qu'ils avaient vécu.

— Je vais me raser. Quand j'aurai terminé, il vaudrait mieux que tu ne sois plus là.

— N'aie crainte, répondit-elle avec dignité en redressant la tête. Je n'ai plus rien à faire avec quelqu'un qui a trop peur de ce que pensent les autres pour nous laisser la moindre chance. Avec quelqu'un qui tremble à la pensée de prendre le moindre risque. Et je n'ai pas besoin de toi.

Sans un regard pour elle, Dan tourna les talons en direction de la salle de bains.

— Ah, j'oubliais, lança-t-elle avant qu'il ne referme la porte derrière lui, j'espère que tu passeras un Noël vraiment pourri.

14.

Lorsque Zoe l'avait accusé d'avoir peur, elle se trompait totalement, mais sa prédiction s'était avérée : Dan avait passé un Noël cauchemardesque.

Quand il était ressorti de la salle de bains, le matin de leur dispute, sa maîtresse avait disparu, sans laisser d'autre trace qu'un léger effluve parfumé. Dix minutes plus tard, bagages terminés, il fonçait vers Londres, soulagé de s'être débarrassé aussi facilement de Zoe.

A hauteur de Reading, il commença toutefois à se demander si elle avait réussi à échapper aux journalistes en chasse autour de l'hôtel. Puis il se dit qu'il aurait quand même dû l'accompagner à la gare. En arrivant chez lui, son soulagement s'était transformé en une impression beaucoup plus mitigée et indéfinissable, profondément perturbante.

Au fil des jours, en proie à un sentiment d'amertume et de regret permanent, il en était venu à se demander s'il ne ferait pas mieux d'investir dans l'achat d'un punching-ball. Il avait eu beau faire des heures de jogging, tous les muscles de son corps étaient douloureusement tendus, et il était parfois si oppressé qu'il s'était même demandé s'il ne devrait pas aller voir un médecin.

Ni l'alcool ni le travail n'avaient pu le distraire de cet état morose, et moins encore la perspective de passer Noël à Ashwicke, avec sa mère et sa sœur. Après les déclarations de Zoe à la journaliste, il s'était attendu à ne plus être invité. Il avait même songé à présenter des excuses à sa mère. Celle-ci ne s'était pas manifestée. Sans doute la révélation la concernant — en résumé, il en avait assez de la voir se mêler à tout propos de ses affaires — n'en avait-elle pas été vraiment une pour elle…

Il était donc parti pour Ashwicke, comptant y rester au maximum deux jours et espérant que cela chasserait ses idées noires. Mais, dès son arrivée, sa mère et sa sœur n'avaient cessé de lui demander pourquoi Zoe et lui n'étaient plus ensemble alors qu'ils étaient si visiblement faits l'un pour l'autre. Le soir de Noël, il avait fini par craquer : il s'était mis à hurler qu'il en avait marre de les avoir sur le dos, était monté dans sa voiture et avait regagné Londres.

Depuis une semaine qu'il était rentré, il ne cessait de ressasser les événements des deux derniers mois. Résultat : il ne dormait plus, il avait perdu l'appétit et, en ce soir de Nouvel An, il était d'une humeur de chien.

Assis au coin du feu dans son bureau, un verre de whisky à la main, il se demanda une fois de plus pourquoi il n'avait pas accepté l'invitation à réveillonner de sa sœur. Mais, s'il n'avait aucune envie de célébrer la Saint-Sylvestre au milieu d'une foule de gens qu'il ne connaissait pas, où était le mal ?

Il était certain en revanche de n'avoir aucune envie de faire la fête avec Zoe, ravi que son histoire avec une femme à laquelle il ne pouvait plus faire confiance soit finie. Et tant pis pour sa mère et sa sœur qui pensaient qu'elle et lui étaient faits l'un pour l'autre.

Elle l'avait accusé d'avoir peur, ce qui prouvait à quel point elle le connaissait mal. Lui, peur ? Quelle blague ! Il n'avait peur de rien. Depuis Natalie, il avait mis en place des défenses qui lui permettaient de contrôler parfaitement toute situation.

Natalie… Le souvenir des deux jours qui avaient suivi leur rupture n'était pas très clair dans sa tête, mais il se revoyait très bien, complètement ivre, en train de tanguer devant chez elle, ignorant ses menaces d'appeler la police. Puis il avait donné un coup de poing au malheureux policier qui tentait de le maîtriser. Malgré tout, Natalie avait réussi à dissuader celui-ci de porter plainte. Une fois dessoûlé, il s'était juré de ne plus jamais perdre le contrôle et d'éviter toute implication émotionnelle qui aurait risqué de le mettre en danger. Cela avait parfaitement fonctionné — le petit problème avec Jasmine Thomas n'avait pas de cause sentimentale.

Et puis Zoe était apparue dans le paysage, bouleversant ses certitudes et ses protections sans qu'il trouve de stratégie capable de la canaliser. Elle avait anéanti sa routine et l'avait ramené à la vie. Dès l'instant où il l'avait rencontrée, il s'était comporté de façon impulsive, imprévisible. Il avait tout de suite compris qu'elle risquait de l'attirer hors de sa zone de confort mais avait fini par se faire une raison. Par exemple, il n'avait été que trop heureux d'abandonner sa règle de trois. Quant au contrat de confidentialité, il n'avait jamais eu l'intention d'en faire usage pour obtenir réparation.

Quand il avait découvert que Zoe avait trahi sa confiance, il avait été anéanti, tout en ressentant, paradoxalement, un certain soulagement.

Ses doigts se crispèrent sur son verre. Au fond, n'était-ce pas elle qui avait raison ? D'une certaine façon, il avait joué la montre en espérant que leur histoire échoue, parce qu'il se sentait pris au piège et qu'il avait peur de souffrir de nouveau, comme avec Natalie. Ce qu'il redoutait le plus à présent, ce n'était pas la rupture mais la perte de contrôle qu'elle ne manquerait pas de provoquer. Parce que, entre Zoe et lui, tout fonctionnait trop bien alors sans elle… Il n'avait pas vraiment aimé Natalie, ce qui ne l'avait pas empêché de laisser la situation lui échapper. Avec Zoe, qu'il adorait, ce serait pire, à coup sûr, songea-t-il en portant le verre à ses lèvres.

Mais, au fond, le pire était déjà là puisqu'ils avaient rompu alors qu'il était fou d'elle.

Il reposa son verre sans avoir bu, stupéfait par cette révélation. Fou d'elle ? Oui, il était amoureux fou de Zoe Montgomery. Et pourtant il arrivait encore parfaitement à se maîtriser et n'était pas prêt pour autant à commettre un crime. Il avait beau avoir le cœur serré, l'estomac noué, se sentir pour la première fois de sa vie complètement ravagé et anxieux, il ne s'était pas soûlé à mort et n'avait agressé aucun représentant de la loi. Il n'avait plus vingt-cinq ans, il ne se laissait plus aller à ses pulsions, et ce n'était plus son orgueil qui était blessé. Cette fois, c'était son cœur, et il souffrait au plus profond de lui d'avoir perdu Zoe.

Jamais il ne lui était rien arrivé de meilleur que cette femme ; et pourtant, dans cette chambre d'hôtel, il s'était montré froid et intraitable avec elle. Il avait délibérément choisi de ne pas la croire et de lui dissimuler ses sentiments, sous le coup d'une colère aussi injuste que déloyale et stupide. Alors qu'elle n'avait pas cherché à se dérober ni à minimiser ses responsabilités. Non, elle avait assumé bravement son erreur, parce qu'elle était la personne la plus courageuse qu'il ait jamais connue.

Même si rien ne l'y obligeait, elle avait accepté de l'accompagner à ce mariage, ravalant ses inquiétudes. Elle avait affronté ses peurs, alors que lui avait perdu son calme et tout détruit. Mais peut-être était-il encore temps de dévoiler à Zoe ses sentiments, de la supplier de lui accorder une dernière chance ?

Se levant d'un bond, Dan prit ses clés, son portefeuille et son téléphone, avant d'enfiler son manteau en toute hâte.

15.

Zoe tendit son manteau au préposé au vestiaire. Si elle avait accepté d'aller à la soirée de réveillon de Celia, ce n'était absolument pas dans l'espoir d'y rencontrer Dan. Sa sœur Lily faisait la fête de son côté, et elle n'avait eu aucune envie de se retrouver seule ce soir.

D'ailleurs, elle n'avait aucune envie de revoir Dan. Durant les deux semaines précédentes, elle avait compris qu'il l'avait sans doute aidée à se découvrir elle-même, mais qu'elle avait déjà changé bien avant de le rencontrer. Il ne lui avait même pas manqué, et elle avait à peine pensé à lui. Elle n'en avait eu ni le temps ni l'envie. En fait, elle avait eu tellement de travail que le seul moment où cette histoire lui était revenue à l'esprit, c'était quand un journaliste l'avait accostée pour tenter d'en savoir davantage. Elle s'était contentée de lui répondre « pas de commentaire » tandis que lui revenaient les images de la façon monstrueuse dont Dan l'avait traitée.

Non, se dit-elle en entrant dans la salle, la tête haute, cet imbécile arrogant ne lui manquait pas. Au contraire, elle se sentait beaucoup mieux sans lui — la preuve : elle était venue à cette fête. Le bruit l'enveloppa. Zoe se promit fermement que cette nuit marquait le début d'une ère nouvelle. D'une nouvelle Zoe aussi.

Et elle allait fêter ce renouveau comme il se devait !

Qu'était-il donc arrivé à Zoe ?...

Dans l'ombre du bar, Dan la contemplait, étonné. Après la façon stupide dont il s'était comporté avec elle, il se serait attendu à tout sauf à ça. Il s'était imaginé la trouver en train de déguster un cocktail, esseulée, se demandant si elle allait réussir à attendre minuit avant de partir. Eh bien, pas du tout ! Vêtue d'un smoking noir bien ajusté, les mains dans les cheveux, le corps ondulant voluptueusement au rythme de la musique, elle dansait sur la piste avec un naturel et un abandon dont il ne l'aurait jamais crue capable.

Incroyable... On aurait dit qu'elle était libérée. Dan s'interrogea sur les milliers d'aiguilles qui soudain semblaient lui percer cœur : admiration ? désir ? jalousie ? Il n'eut pas le temps d'analyser davantage ses sentiments car elle s'était mise à danser avec un homme, auquel elle adressa un sourire provocant.

Son sang ne fit qu'un tour.

Contrairement à lui, elle ne regrettait pas leur histoire, cela semblait clair. Elle avait l'air en pleine forme, heureuse, comme s'il ne s'était jamais rien passé entre eux — et surtout pas une rupture. Oui, il devait être trop tard. Ou peut-être ne l'avait-elle même jamais aimé, malgré tout ce qu'elle lui avait soufflé à l'oreille au cours de leur dernière nuit. S'il l'avait crue, il s'était lourdement trompé.

Il serra les poings. Bon sang, il n'était pas venu là pour gémir sur son sort, mais pour reconquérir Zoe ! En voyant l'homme avec qui elle dansait l'attirer dans ses bras, il se leva, percé par une flèche de jalousie brûlante. Il était grand temps d'intervenir !

Ça ne marchait pas, hélas... Elle avait eu beau danser à s'en épuiser en se répétant que tout était fini avec Dan, ça ne marchait pas… Car elle se mentait, voilà tout. Même si depuis quinze jours elle avait tout fait pour se persuader du contraire, sans Dan, elle dépérissait. Et, ce soir, elle souffrait horriblement — et cette joie factice autour d'elle ne faisait qu'accroître sa souffrance. Si elle était venue, s'avoua-t-elle, ce n'était pas pour faire la fête mais bien pour le voir, pour lui montrer que tout allait bien et qu'elle se moquait qu'il ait rompu.

Mais elle n'allait pas bien ; au contraire, elle était très malheureuse.

Dan n'était pas venu, et elle se retrouvait en train de danser avec un inconnu pourvu non pas de bras mais de tentacules. Engourdie par sa mélancolie, Zoe ne parvenait pas à rassembler assez d'énergie pour échapper à ce Walter (Winston ? Wilson ?). Elle se donna encore cinq minutes avant de réussir à trouver le courage de rentrer noyer son chagrin chez elle, dans la bouteille de champagne qu'elle avait mise au frigo, au cas où…

— Vous permettez ?

En entendant cette voix, Zoe s'immobilisa sur la piste, des papillons dans le ventre. Oui, c'était bien Dan, elle n'avait pas rêvé. Soulagement et bonheur chassèrent aussitôt sa mélancolie. Durant une seconde, les bras-tentacules de Winston (Walter ? Wilson ?) se crispèrent sur elle ; le regard de Dan devait être plus que dissuasif et son cavalier s'écarta.

— Bien entendu, répondit Wilson (Winston ? Walter ?) avec un sourire crispé de mauvais perdant.

Zoe se retrouva debout sur la piste au milieu des danseurs ; elle se retourna lentement, comme au ralenti, pour faire face à Dan. Son visage l'effraya. Des cernes noirs marquaient ses yeux, ses cheveux étaient en désordre, et il ne s'était pas rasé depuis plusieurs jours. Son regard sombre était fixé sur elle et tout son visage exprimait un immense désespoir.

Son cœur se serra aussitôt, mais le souvenir des mots définitifs qu'il avait prononcés dans la chambre d'hôtel lui revint aussitôt.

— Tu ne veux pas boire quelque chose ? proposa-t-il en lui tendant un verre. J'ai l'impression que tu en as besoin.

— Toi aussi.

— Je le reconnais. Brusquement, j'ai eu le sentiment d'être redevenu un homme de Neandertal, contrarié qu'on lui prenne ce qui lui appartient. Ça donne soif.

— Comment ça, « ce qui lui appartient » ?

— Toi.

— Je ne savais pas que je t'appartenais, lança Zoe en haussant un sourcil.

— Maintenant, tu le sais.

— Qu'est-ce que c'est ? demanda-t-elle en reniflant avec suspicion le contenu de son verre.

— De la grappa.

Elle en avala une gorgée avant de faire la grimace. Il lui prit le verre pour le poser sur une table.

— Je crois que c'est notre danse, décréta-t-il soudain en lui prenant la main.

Avant d'avoir pu protester, Zoe se retrouva dans ses bras. Il posa la main au creux de sa taille pour l'attirer à lui. Elle était si bien contre ce corps protecteur que même si elle l'avait voulu elle n'aurait pas été capable de protester.

— Comment as-tu passé Noël ? demanda-t-il en la fixant droit dans les yeux.

— Agréablement, avec mes parents et ma sœur dans le Shropshire. Et toi ?

— Horrible…

— J'en suis ravie, affirma Zoe avec sincérité.

— Tu veux savoir pourquoi ?

— Si tu y tiens.

148

— Ma famille m'a rendu fou.

— Si tu cherches à te faire plaindre, Dan, je ne suis pas la bonne personne.

— Je ne cherche pas à me faire plaindre, dit-il en lui décochant son sourire qui hélas la faisait fondre. Ce que je cherche à obtenir, c'est ton pardon. Même si je ne le mérite pas.

— Mon *pardon* ? s'étonna-t-elle froidement en levant les sourcils d'un air faussement surpris.

— Oui. Noël a été horrible, mais la semaine dernière a été pire encore.

— Pourquoi ?

— J'ai compris que tu avais eu raison de dire que j'avais peur. Ce constat m'a déstabilisé.

Zoe fut quelque peu ébranlée par tant de franchise et cette inattendue remise en question de la part de Dan.

— Ça a commencé quand tu m'as demandé de t'embrasser, au pub, reprit-il. Jamais de telles sensations ne m'avaient traversé avant. Comme si le monde explosait littéralement.

— Désolée, ironisa-t-elle.

— C'est à ce moment-là que j'ai commencé à paniquer, avoua-t-il en l'attirant plus près de lui.

À deux doigts de céder à la tentation, Zoe dut lutter pour ne pas se laisser tenter par son torse accueillant, l'odeur merveilleuse de son eau de toilette, au creux du cou. Cela faisait si longtemps…

— Je cherche toujours à tout contrôler, poursuivit-il, je le reconnais. Et quand Natalie m'a révélé ce qu'elle avait fait j'ai complètement perdu la tête. J'aurais aussi bien pu finir en prison. Alors, par crainte de recommencer à perdre les pédales, je me suis comporté comme un idiot avec toi, le lendemain du mariage. Je venais de comprendre que j'étais amoureux de toi, et cela me faisait trop peur.

— Tu es… *amoureux de moi* ? bredouilla-t-elle, une boule dans la gorge, le pouls affolé.

— A la folie ! J'ai voulu me protéger mais, contre toi, je n'ai plus ni protection ni défenses.

Zoe eut le sentiment de plonger dans un bain de pure félicité, un océan de bonheur brut. Jamais elle n'avait rien entendu de plus agréable.

— Tu regrettes de ne plus avoir de protections ?

— Plus maintenant, dit-il en lui jetant un regard d'une bouleversante intensité. Tu ne peux pas savoir à quel point j'ai honte de m'être comporté comme je l'ai fait.

— Et moi, je regrette d'avoir été à l'origine de cet article. Sincèrement.

— Tu n'as aucune expérience des journalistes, tu ne pouvais pas deviner. J'aurais dû t'avertir.

— J'aurais dû me montrer plus vigilante. Mais je venais juste de me rendre compte que je t'aimais, et cette *Lizzie* m'a cueillie à un moment où j'étais particulièrement vulnérable.

— Tu m'aimes ?

— A la folie, avoua-t-elle avec un grand sourire.

— Merci, dit-il en enfouissant le visage dans sa chevelure. Oh, mon Dieu, merci !

Il l'embrassa avec ardeur. Elle entendait son cœur battre à grands coups, comme le sien ; quand ils se séparèrent pour reprendre leur souffle, elle resta blottie contre lui.

— Si seulement je pouvais revenir en arrière, chuchota-t-elle.

— Pour quoi faire ? Je t'ai forcée à affronter tes démons et toi, tu m'as contraint à affronter les miens. Zoe Montgomery, tu es une femme courageuse.

— Toi aussi, tu es courageux.

— Tu sais, voilà un moment que j'ai déchiré notre accord de confidentialité. Nous n'allons pas échapper aux petites déceptions et aux accrocs inhérents à toute relation. Nous aurons des hauts et quelques bas. Heureusement, sinon nous risquerions de nous ennuyer !

— Tu as raison, acquiesça Zoe en se souvenant de ce qu'était sa vie avant Dan.

— Notre relation a commencé comme une farce ; mais en définitive, puisque tu es vraiment l'est de mon ouest et le nord de mon sud, nous irons dans la même direction.

— Je l'espère, mon amour, chuchota-t-elle contre ses lèvres.

Elle l'embrassa avec fougue. Heureuse et comblée par ce baiser, elle entendit vaguement retentir les douze coups de minuit, au milieu des exclamations et des bravos. Lorsque les échos de la traditionnelle *Auld Lang Syne* lui parvinrent aux oreilles, reprise par tous les invités, elle ouvrit les yeux.

— Regarde, rien ne manque : la grappa, le chant traditionnel et même la neige dehors, dit-elle en apercevant les flocons qui commençaient à tomber.

Elle déposa un doux baiser sur les lèvres de Dan.

— Bonne année !

— Je crois qu'effectivement elle le sera, chuchota-t-il. Surtout si tu acceptes de m'épouser.

— Une authentique demande en mariage ? fit-elle, la gorge serrée.

— Oui.

— C'est la deuxième en trois mois.

Du bout des doigts, il lui caressa la joue ; elle frissonna à ce contact.

— Cette fois, nous ne jouons plus la comédie.

— Puisque tu insistes tant, j'accepte. Mais uniquement pour faire plaisir à ta mère !

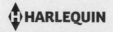

collection *Azur*

Ne manquez pas, dès le 1ᵉʳ décembre

UN MARIAGE POUR NOËL, *Lucy Monroe* • N°3535

10 millions de dollars pour s'occuper des neveux de l'homme d'affaires Vincenzo Tomasi ? Pour Audrey, c'est inespéré : elle a tant besoin d'argent pour financer l'inscription de son jeune frère dans la prestigieuse université où il a été admis ! Et puis, contrairement aux autres candidates uniquement attirées par l'appât du gain, elle sait qu'elle saura offrir tout son amour à ces enfants qui viennent de perdre leurs parents. Mais quand Vincenzo lui apprend que ce n'est pas simplement une gouvernante qu'il cherche, mais une épouse, une femme qui tiendra véritablement le rôle de mère auprès de ses neveux, Audrey sent l'angoisse l'envahir : peut-elle vraiment lier son destin à cet homme qui éveille en elle des sentiments brûlants et… incontrôlables ?

UN ENVOÛTANT SÉDUCTEUR, *Sara Craven* • N°3536

Tavy n'a jamais eu aussi honte de sa vie. Etre surprise par un inconnu, alors qu'elle se baignait nue dans un lac, a déjà été très humiliant. Mais voilà qu'elle vient d'apprendre que ce troublant inconnu n'est autre que Jago Marsh, le scandaleux play-boy qui a récemment racheté le manoir du village, et dont tout le monde parle en ce moment. Pire, il semble désormais déterminé à la séduire… Si pour lui il ne peut s'agir que d'un jeu – n'est-il pas réputé pour son succès auprès des femmes ? —, Tavy sait qu'en cédant au charme de ce séducteur invétéré elle risquerait quant à elle sa réputation et sa tranquillité. Et peut-être aussi son cœur…

POUR L'AMOUR DE ROSA, *Chantelle Shaw* • N°3537

Quand Salvatore Castellano lui demande de renoncer à ses vacances pour s'occuper de sa fille, Darcey refuse net. D'abord, elle vient de perdre son emploi et elle a besoin de temps pour faire le point sur sa vie. Ensuite, cet homme éveille en elle un trouble qu'elle avait juré de ne plus jamais ressentir après la trahison de son ex-époux. Mais à peine pose-t-elle les yeux sur la petite Rosa, qu'elle sait qu'elle n'a pas le choix. Comment abandonner l'adorable fillette à son sort, alors qu'en tant qu'orthophoniste elle pourrait lui permettre de recouvrer l'usage de la parole ? Désarmée, Darcey se résout à s'envoler pour la Sicile où l'attend le château des Castellano. Mais c'est promis : elle résistera au charme ténébreux de Salvatore.

ORAGEUSES FIANÇAILLES, *Victoria Parker* • N°3538

Eva est furieuse. Comment Dante Vitale a-t-il osé l'embrasser, en public, alors qu'il est fiancé à une autre femme ? C'est sans doute sans importance pour ce richissime milliardaire, mais l'entreprise de confection de robes de mariées qu'elle dirige ne survivra jamais à un tel scandale ! Aussi, quand Dante lui apprend ne s'être inventé une fiancée que pour remporter un important contrat, et qu'il lui propose de transformer ce scandale en conte de fées médiatique – un amour bouleversant, plus fort que les convenances – , Eva sait qu'elle doit accepter. Pourtant, jouer à l'amoureuse promet d'être un cauchemar. Car, malgré les années, elle n'a pas oublié ce soir terrible où Dante l'a rejetée alors qu'elle lui offrait son cœur d'adolescente...

UNE INTOLÉRABLE TRAHISON, *Dani Collins* • N°3539

Sirena Abbott. L'assistante la plus efficace que Raoul ait jamais eue, la femme la plus séduisante sur laquelle il ait posé les yeux… et une voleuse. Comment expliquer autrement qu'une importante somme d'argent ait disparu du compte de l'entreprise ? Pire, non contente de le voler, Sirena s'est jouée de lui : n'a-t-elle pas feint la passion dans ses bras – sans doute pour mieux dissimuler son méfait ? Furieux, Raoul se jure de détruire cette femme sans scrupule. Mais, quand Sirena, plus pâle que jamais, s'effondre sous ses yeux, Raoul comprend très vite que la jeune femme est enceinte. Et il se sent alors envahi par des émotions violentes, contradictoires. Car, au fond de lui, il *sait* que l'enfant qu'elle porte est le sien...

LE DÉFI DU PRINCE, *Sharon Kendrick* • N°3540

Prince de Zaffirinthos, Xaviero di Cesare a l'habitude de voir chacun se plier à ses moindres volontés. Aussi, lorsque la jeune réceptionniste du palace anglais où il est descendu le repousse violemment après le brûlant baiser qu'ils ont échangé, il sent un envoûtant mélange d'irritation et d'excitation l'envahir. Jamais aucune femme ne lui a résisté : c'est décidé, avant la fin de son séjour, il fera de la jeune Anglaise sa maîtresse. Et la colère que Xaviero lit sur le visage de la jeune femme ne fait que renforcer sa détermination. Car rien ne l'excite plus qu'un défi… surtout lorsqu'il a les courbes affolantes et le regard effronté de cette Cathy Burton.

LA MAÎTRESSE DE CRUZ RODRIGUEZ, *Michelle Conder* • N°3541

Cinq jours. C'est le temps qu'il reste à Aspen pour réunir l'importante somme d'argent qui lui permettra de sauver Ocean Haven, le haras familial. Aussi, quand Cruz Rodriguez, l'homme qui a fait vibrer son cœur d'adolescente et qu'elle n'a pas revu depuis le brûlant baiser qu'ils ont échangé huit ans plus tôt, fait de nouveau irruption dans sa vie, elle a l'espoir fou qu'il va lui apporter son aide. N'a-t-il pas toujours aimé le domaine ? N'est-il pas richissime ? Oui, il acceptera sans doute de lui prêter l'argent dont elle a besoin. Pourtant, très vite, Aspen doit se rendre à l'évidence : Cruz ne lui rend pas une visite amicale. Il semble même la détester, comme s'il lui reprochait ce qui s'est passé entre eux huit ans plus tôt...

UN MILLIARDAIRE POUR ENNEMI, *Elizabeth Power* • N°3542

Le soir où Emiliano Cannavaro surgit sur le pas de sa porte, Lauren comprend que le moment qu'elle redoutait tant est arrivé : les Cannavaro ont décidé de récupérer leur héritier. Mais c'est mal la connaître. Jamais elle ne laissera Danny, l'enfant que sa sœur a eu avec le frère d'Emiliano et qu'elle élève comme le sien depuis sa naissance, grandir dans cette famille où l'argent tient lieu de principe d'éducation et d'amour parental. Hélas, elle sait aussi que le combat s'annonce inégal. Non seulement Emiliano est richissime, mais en plus il semble ne rien avoir perdu du pouvoir envoûtant qu'il exerce sur elle depuis l'unique – et inoubliable – nuit qu'ils ont passée ensemble cinq ans plus tôt...

UNE AMOUREUSE INDOMPTABLE, *Melanie Milburne* • N°3543

- Irrésistibles héritiers - 3ème partie

Mariée à Rémy Caffarelli... Angélique est atterrée. Comment a-t-elle pu en arriver là ? Pourtant, son plan était parfait : s'introduire dans la chambre d'hôtel de l'arrogant milliardaire, et le convaincre de lui rendre Tarrantloch, le domaine familial qu'elle aime plus que tout et qu'il vient de ravir à son père. Ce qu'elle n'avait pas prévu, c'est que les autorités découvriraient sa présence dans la chambre... Or, selon les lois de Dharbiri, seuls un homme et une femme mariés peuvent se trouver seuls dans la même pièce. L'unique moyen qu'elle a aujourd'hui d'éviter la prison, c'est de lier son destin à cet homme qui a toujours fait battre son cœur plus vite – sans qu'elle parvienne à déterminer s'il s'agit de haine ou d'un autre sentiment, bien plus dangereux encore...

L'AMANT DE SAINT-PÉTERSBOURG, *Jennie Lucas* • N°3544

- Passions rebelles - 1ère partie

« Si je gagne, tu seras à moi. » En entendant ces mots tomber de la bouche de Vladimir Xendzov, Breanna sent un frisson d'angoisse la parcourir. Vladimir, l'homme qu'elle a follement aimé dix ans plus tôt et qui a aujourd'hui toutes les raisons de la haïr : n'était-elle pas prête à le trahir pour rembourser les importantes dettes de son père et offrir un avenir meilleur à sa jeune sœur ? Et voilà qu'à présent il lui propose un marché : si elle gagne la partie de cartes qu'il lui a proposée, il remboursera toutes ses dettes. Mais si elle perd... non, impossible ! Breanna préfère ne pas songer à ce qui arrivera si elle perd face à cet homme qu'elle n'a jamais cessé d'aimer mais dans le regard duquel elle ne lit plus que haine et mépris.

Attention, numérotation des livres différente
pour le Canada : numéros 1970 à 1977.

www.harlequin.fr

BestSellers

A paraître le 1ᵉʳ novembre

Best-Sellers n°621 • suspense
Le secret de la nuit - Amanda Stevens

Au loin, elle aperçoit la silhouette familière d'un homme se diriger vers elle. Malgré le masque d'assurance qu'elle s'efforce d'afficher, Amelia Gray se sent blêmir. Robert Fremont est de retour. Une fois encore, cet ancien policier aux yeux constamment dissimulés derrière d'opaques lunettes de soleil est venu lui demander son aide. Pourquoi l'a-t-il choisie elle, simple restauratrice de cimetières, pour tenter d'élucider le meurtre qui a ébranlé la ville dix ans plus tôt ? Amelia ne le sait que trop bien, hélas : Fremont est le seul à avoir perçu le don terrible et étrange qu'elle cache depuis l'enfance… Bien que désemparée, elle accepte la mission qu'il lui confie. Mais tandis que ses recherches la mènent dans les quartiers obscurs de Charleston, elle comprend bientôt qu'elle n'a plus le choix. Si elle veut remporter la terrible course contre la montre dans laquelle elle s'est lancée, elle va devoir solliciter le concours de l'inspecteur John Devlin. Cet homme sombre et tourmenté dont elle est profondément amoureuse mais qu'elle doit à tout prix se contenter d'aimer de loin…

Best-Sellers n°622 • suspense
Neige mortelle - Karen Harper

Un cadavre de femme, retrouvé enseveli sous la neige. Puis, quelques jours plus tard, une autre femme, découverte assassinée à deux pas de chez elle… Comme tous les autres habitants de la petite communauté de Home Valley où elle vit, Lydia Brand est bouleversée. Ces décès inexpliqués sont-ils de simples coïncidences ? Au plus profond de son cœur, Lydia est persuadée que non. Pire, elle éprouve le désagréable sentiment qu'ils sont intimement liés à l'enquête qu'elle mène pour retrouver ses parents biologiques… Cherche-t-on à l'empêcher de découvrir la vérité ?

Bien que gagnée peu à peu par la peur, Lydia se résout à vaincre ses réticences et à se confier à Josh Yoder, l'homme pour qui elle travaille… et qui fait battre son cœur en secret. Aussitôt sur le qui-vive, Josh lui en fait la promesse : il l'aidera à lever le voile sur ses origines, et la protégera de l'ennemi invisible qui la guette dans l'ombre.

Best-Sellers n°623 • thriller
Sur la piste du tueur - Alex Kava

A la vue du corps qui vient d'être déterré par la police sur une aire de repos de l'Interstate 29, dans l'Iowa, l'agent spécial du FBI Maggie O'Dell comprend qu'elle vient enfin de découvrir le lieu où le tueur en série qu'elle traque depuis un mois a enterré plusieurs de ses victimes.

Pour démasquer ce criminel psychopathe qui a fait des aires d'autoroute son macabre terrain de chasse, et l'empêcher de tuer de nouveau, Maggie est prête à tout mettre en œuvre. Et tant pis si pour cela, il lui faut accepter de collaborer avec Ryder Creed, un enquêteur spécialisé que le FBI a appelé en renfort. Un homme mystérieux qui la trouble beaucoup trop à son goût.

Mais tandis que Maggie se rapproche de la vérité, il devient de plus en plus clair que le tueur l'observe sans répit, et qu'elle pourrait bien être son ultime proie…

Best-Sellers n°624 • roman
Noël à Icicle Falls - Sheila Roberts

La magie de Noël va-t-elle opérer à Icicle Falls ?

Tout avait pourtant si bien commencé… Cassie Wilkes, propriétaire de la petite pâtisserie d'Icicle Falls, doit pourtant l'admettre : si le repas familial qu'elle a préparé pour Thanksgiving frise la perfection absolue, il n'en va pas de même pour le reste de son existence. Loin de là. Sa fille unique ne vient-elle pas d'annoncer à table, devant tous les convives, qu'elle comptait se marier le week-end avant Noël (autant dire dans 5 minutes) avant de déménager dans une autre ville ? Pire, qu'elle voulait que son père (autrement dit son épouvantable ex-mari) la conduise à l'autel ? Déjà proche du KO, Cassie doit encaisser l'ultime mauvaise nouvelle de ce repas qui a décidément viré au cauchemar : son ex-mari, sa nouvelle femme et leur chien vont demeurer chez elle le temps des festivités.

Pour Cassie, cette période des fêtes sera à n'en pas douter pleine de surprises et de rebondissements…

Best-Sellers n°625 • historique
Séduite par le marquis - Kasey Michaels

Londres, 1816

Lorsque débute sa première saison à Londres, Nicole est aux anges. Elle a tant rêvé de ce moment ! Et certainement pas dans l'espoir de dénicher un mari, comme la plupart des jeunes filles. Non, tout ce qu'elle désire, c'est savourer le plaisir d'être enfin présentée dans le monde et de vivre des aventures passionnantes. Mais à peine arrivée à Londres, elle fait la connaissance d'un ami de son frère, le marquis Lucas Caine. Un gentleman séduisant et charismatique qui, elle le sent aussitôt, pourrait la faire renoncer à ses désirs d'indépendance si elle n'y prenait garde. Mais voilà que Lucas lui fait alors une folle proposition : se faire passer pour son fiancé afin de décourager les soupirants qui ne manqueront pas de se presser autour d'elle. Nicole est terriblement tentée. Grâce à ce stratagème, aucun importun n'osera lui parler de mariage ! Mais si ce plan la séduit, est-ce parce qu'il l'aidera à conserver sa liberté, ou parce qu'il la rapprochera un peu plus de ce troublant marquis ?

Best-Sellers n°626 • roman
Avec vue sur le lac - Susan Wiggs

Etudes brillantes, parcours professionnel sans faute… Sonnet Romano s'efforce chaque jour de gagner la reconnaissance d'un père dont elle est « l'erreur de jeunesse », la fille illégitime. Une vie parfaite et sans vagues qui a un prix : Sonnet ne se sent jamais à sa place…

Mais voilà que le vent se lève en ce début d'été. Une nouvelle bouleversante pousse Sonnet à tout quitter — son poste à l'Unesco et la mission prestigieuse qu'on lui offre à l'étranger —, pour rentrer s'installer au lac des Saules, où elle a grandi. Là-bas, une épreuve l'attend. Une épreuve, mais aussi la chance inestimable d'une nouvelle existence. Portée par l'amour inconditionnel de ses amis, de sa mère adorée, de son beau-père qui l'a toujours soutenue, Sonnet va ouvrir les yeux. Sur la nécessité de sortir du carcan des apparences, sur la liberté de faire ses propres choix. Mais surtout sur la naissance de ses sentiments profonds et passionnés pour Zach, l'ami de toujours, l'homme qu'elle n'attendait pas…

Composé et édité par HARLEQUIN

Achevé d'imprimer en octobre 2014

La Flèche
Dépôt légal : novembre 2014

Pour l'éditeur, le principe est d'utiliser des papiers
composés de fibres naturelles, renouvelables, recyclables,
et fabriquées à partir de bois issus de forêts qui adoptent
un système d'aménagement durable. En outre, l'éditeur attend
de ses fournisseurs de papier qu'ils s'inscrivent dans
une démarche de certification environnementale reconnue.

Imprimé en France